# 100 Rezepte

# Französische Küche

# 100 Rezepte

# Französische Küche

## von

## Rhona Newman

Unipart-Verlag · Stuttgart

# Inhalt

**BITTE BEACHTEN SIE:**
Alle EL- und TL-Angaben sind Durchschnittswerte.
1 EL entspricht etwa 15 ml
1 TL entspricht etwa 5 ml
Es sind stets ein gestrichener EL oder TL gemeint.

Wenn in den Rezepten nicht anders angegeben, werden frische Kräuter verwendet.
Wenn Sie mit getrockneten Kräutern würzen (provencalische Kräutermischung),
verreiben oder mahlen Sie die Kräuter. So entfalten sie ihr Aroma besser.

Backrohr oder Grill sollten stets vorgeheizt werden, bevor Sie die Speisen hinein-
schieben.

Zuerst veröffentlicht
© 1983 Octopus Books Limited
59 Grosvenor Street, London W1

© Alle Rechte für die deutschsprachige Ausgabe
bei Unipart-Verlag GmbH, Remseck bei Stuttgart, 1985

Aus dem Englischen von Luzia und Michael Czernich

Satz: LibroSatz, Kriftel bei Frankfurt
Printed in Germany

ISBN 3 8122 0206 9

*Titelfoto: Truthahn „Gascogne" (Seite 30)*
*(Foto: British Turkey Federation)*

# Einführung

Ähnlich wie in Italien hat das Essen in Frankreich eine besondere Bedeutung. Nahezu alle Franzosen sind leidenschaftliche Esser und sie gehen so oft wie möglich ins Restaurant. Selbst in den kleinsten Dörfern werden Sie am Abend in winzigen Restaurants ein, zwei Tische vornehm gedeckt sehen, mit weißem Tischtuch und edlem Geschirr. Auch die einfachste Mahlzeit wird stilecht und in einem besonderen Rahmen genossen, und man läßt sich viel Zeit. Man ißt nicht nur gegen den Hunger, sondern genießt eine gemeinsame Mahlzeit wie ein kleines Fest.

Die Rezepte in diesem Buch sollen Ihnen eine Einführung in die klassische und regionale Küche unseres Nachbarlandes geben, wie sie zuhause und in Restaurants gepflegt wird. Um Ihnen die Übersicht zu erleichtern, ist der Rezeptteil in sechs Kapitel gegliedert.

## Suppen und Pâtés

Die Suppe oder „Potage" ist ein wichtiger Eckpfeiler der französischen Küche. Häufig wird Suppe als Hauptgericht serviert wie beispielsweise eine Gemüse- oder Fischsuppe. Dazu wird das knusprige Weißbrot, Baguette, gereicht.

Der Franzose kennt eine Menge verschiedene Pâthès, die natürlich hausgemacht sind. Es gibt diese Pasteten als Vorspeise oder als kleines Zwischengericht.

## Fischgerichte

Das Mittelmeer und der Atlantische Ozean liefern Unmengen von Fischen und Krustentieren für den täglichen Speisezettel. Auf dem morgendlichen Markt werden fangfrische Edelfische und Meeresfrüchte angeboten. Ihre Qualität ist so gut, daß sie in großen Mengen ins Ausland exportiert werden. In der Regel wird Fisch im Ganzen serviert, gegrillt oder geschmort mit vielen Kräutern und frischem Knoblauch. Viele köstliche Fischrezepte aus Frankreich sind in den letzten Jahren auch bei uns bekannt geworden.

## Fleisch- und Geflügelgerichte

Die französische Hausfrau verwendet stets nur frisches, also nicht tiefgefrorenes und aufgetautes Fleisch bester Qualität. Zu Steak, Huhn oder Schweinefleisch ißt man pommes frittes, Kartoffelgratin oder frisches Baguette. Häufig wird dabei recht großzügig bei der Verwendung von Kräutern, Wein und Knoblauch umgegangen.

## Eier- und Käsegerichte

Man sagt, die Franzosen kennen einige hundert Zubereitungsarten für Eier. Am häufigsten werden sie zu Omelett, Soufflés, Crêpes und Quiches verarbeitet. Eine Eierspeise wird als leichte Vorspeise serviert, und auf der Basis von Eiern werden köstliche Desserts und Kuchen kreiert.

Keine französische Mahlzeit ohne Käse zum Abschluß. Viele berühmte Käsesorten stammen aus Frankreich, und Wein, Käse und Weißbrot geben jederzeit eine sättigende und schmackhafte Zwischenmahlzeit ab.

## Salate und Gemüsegerichte

Wie bei Fleisch und Geflügel müssen in Frankreich Obst und Gemüse von bester Qualität sein, um in der Küche verarbeitet zu werden. Salate werden mit feinstem Öl und Weinessig frisch zubereitet; Gemüse wird nicht nur gekocht, sondern mit Kräutern und Gewürzen sorgfältig abgeschmeckt.

Sie werden in französischen Restaurants nicht selten das bestellte Gemüse erst nach dem Hauptgang und den Salat erst nach dem Gemüse serviert bekommen. Ein Salat „Niçoise" dagegen ist im Sommer eine sättigende und erfrischende Hauptmahlzeit.

## Kuchen und Desserts

Nach einem „normalen" Essen werden in der Regel nur Käse und Obst gereicht, Gâteaux – süße Kuchen – und köstliche Desserts bilden meist bei besonderen Festen den krönenden Abschluß. Da aber in Frankreich fast an jeder Straßenecke Cafès zu finden sind, die durchgehend geöffnet haben, kann der Gast sich dort nach Herzenslust an „süßen Sachen" delektieren und dazu eine oder zwei Tassen „Cafè Creme" zu sich nehmen.

Die französische Küche soll die beste der Welt sein, und der französische Wein der edelste aller Tropfen. Denken Sie nur an den Elsässer Edelzwicker und den weißen und roten Burgunder, die mittlerweile auch zu einem vernünftigen Preis in unseren Supermärkten erhältlich sind.

Lassen Sie sich nun mit diesem Buch in das Schlemmerland Frankreich entführen. Servieren Sie lieben Freunden und Verwandten hin und wieder ein original französisches Mahl mit verschiedenen Gängen und schenken Sie einen herben Roten oder frischen Weißen dazu ein. Bon appétit!

# Suppen und Pasteten

## Bouillabaisse

2 EL Öl
1 große Zwiebel, in Scheiben
1 Knoblauchzehe, zerdrückt
Tomaten aus der Dose, ca. 800 g
300 ml Fischsud
2 EL gehackte Petersilie
Salz und Pfeffer
1 Bund Suppengrün
500 g Sankt-Peters-Fisch, gewürfelt
600 g Rotbarsch, enthäutet und filetiert
350 g Lachsfilet, enthäutet und gewürfelt
350 g Seewolffilet, enthäutet und gewürfelt
4 Schollenfilets, je 175 g, enthäutet, in Streifen
Petersilie zum Garnieren

Öl in einem großen Topf erhitzen und Zwiebel und Knoblauch 5 Minuten anbraten. Tomaten mit Saft, Brühe, Suppengrün, Petersilie, Salz und Pfeffer dazugeben und zum Kochen bringen. 10 Minuten köcheln lassen.

Sankt-Peters-Fisch und Barbe hineingeben und 5 Minuten kochen, dann Lachs und Seewolf dazugeben und weitere 5 Minuten köcheln lassen.

Als letztes die Schollen in den Topf geben und 5 bis 10 Minuten köcheln lassen, bis alle Fischsorten weich sind. Das Suppengrün aus der Brühe nehmen, je nach Geschmack nachwürzen und die Suppe in eine Terrine umfüllen.

*Bouillabaisse*
*(Foto: Sea Fish Kitchen)*

Mit Petersilie garnieren und heiß servieren. Französisches Weißbrot (Baguette) dazu reichen.
Zubereitungszeit: 30 bis 40 Minuten
Für 8 Personen
**Hinweis:** für die Bouillabaisse können alle Fischsorten verwendet werden, jedoch müssen die Sorten mit festerem Fleisch zuerst gekocht werden, damit alle Sorten gleichmäßig weich sind. Schalentiere, wie Muscheln und Krabben können ebenfalls für die Bouillabaisse verwendet werden.

## Französische Zwiebelsuppe

40 g Butter
350 g Zwiebeln, in Scheiben
1 l Rinderbrühe
1 EL trockener Sherry
Salz und Pfeffer
4 Scheiben Weißbrot oder Baguette
50 g geriebener Hartkäse

Die Butter in einem Topf schmelzen und die Zwiebeln 5 Minuten anbraten. Mit Brühe auffüllen und zum Kochen bringen. Sherry, Salz und Pfeffer dazugeben und den Topf zudecken. Die Suppe 45 Minuten köcheln lassen.

Die Suppe auf 4 feuerfeste Suppentassen verteilen und je eine Brotscheibe darauflegen. Mit Käse bestreuen und unter dem Grill bräunen. Sofort heiß servieren.
Zubereitungszeit: 55 Minuten
Für 4 Personen

## Gemüseeintopf mit Wurst

*2 EL Pflanzenöl*
*1 Zwiebel, in Scheiben*
*250 g Kartoffeln, geschält und gewürfelt*
*2 Karotten, in Scheiben*
*2 Selleriestangen, gehackt*
*ca. 400 g Tomaten aus der Dose*
*500 ml Rinderbrühe*
*1 Lorbeerblatt*
*Muskat, gemahlen*
*Salz und Pfeffer*
*100 g geräucherte Wurst, gehackt*
*75 g Weißkohl, zerteilt*
*gehackte Petersilie zum Garnieren*

Öl in einem großen Topf erhitzen und Zwiebel, Kartoffeln, Karotten und Sellerie 5 Minuten darin anbraten. Die Tomaten mit dem Saft, Brühe, Lorbeer und Muskat dazugeben und mit Salz und Pfeffer würzen. Zum Kochen bringen, Deckel auflegen und 20 Minuten köcheln lassen.

Die Wurst und den Kohl dazugeben und weitere 15 bis 20 Minuten kochen lassen. Abschmecken und in vorgewärmte Suppenschalen geben. Mit Petersilie garnieren.
Zubereitungszeit: 45 Minuten
Für 4 bis 6 Personen

## Erbsensuppe mit Minze

*350 g Kartoffeln, geschält und grob gewürfelt*
*Salz und Pfeffer*
*300 ml kochendes Wasser*
*3 bis 4 frische Minzezweige*
*2 Frühlingszwiebeln, gehackt*
*300 g gekochte Erbsen*
*1 TL Zitronensaft*
*150 ml Rahm*
*frische Minze zum Garnieren*

Die Kartoffeln in einen Topf geben und mit kaltem Wasser bedecken. Salzen und zum Kochen bringen. Den Deckel auflegen, 20 Minuten köcheln und dann abtropfen lassen. 150 ml der Flüssigkeit aufheben.

Das kochende Wasser über die Minze und die Zwiebeln geben und 15 Minuten ziehen lassen.

Die Kartoffeln, die abgeschöpfte Flüssigkeit, die Zwiebeln und die Minze mit dem Wasser, Erbsen, Zitronensaft, Salz und Pfeffer mit einem Mixer pürieren und in einen Topf geben. Den Rahm einrühren und langsam erhitzen. Nach Geschmack würzen, mit Minze garnieren, und heiß oder kalt servieren.
Zubereitungszeit: 30 Minuten
Für 4 bis 6 Personen

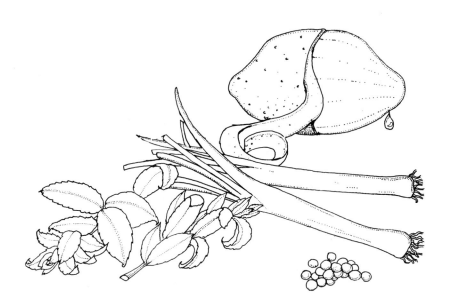

## Potage Parmentier

250 g Kartoffeln
25 g Margarine
1 Zwiebel, in Scheiben
40 g Mehl
1,2 l Wasser
Salz und Pfeffer
150 ml Milch
Croûtons zum Servieren

Die Kartoffeln schälen und in Scheiben schneiden. In kaltem Wasser stehen lassen.

Die Margarine in einem Topf schmelzen und die Zwiebel darin weichdünsten. Mehl einrühren und eine Minute bräunen. Den Topf vom Feuer nehmen und das Wasser langsam hinzugeben. Die Kartoffeln dazugeben, salzen und pfeffern, zum Kochen bringen und alles 45 Minuten bis 1 Stunde köcheln lassen. Etwas abkühlen lassen, dann durch ein Sieb streichen oder im Mixer pürieren.

Die Suppe wieder in den Topf geben und die Milch hinzufügen. Würzen und langsam durchwärmen. In vorgewärmte Suppenschalen geben und mit Croûtons servieren.
Zubereitungszeit: 1 bis 1¼ Stunden
Für 4 bis 6 Personen

## Provencalische Gemüsesuppe

2 Karotten, in Scheiben
2 grüne Paprikaschoten, entkernt,
    in Ringe geschnitten
2 Zwiebeln, in Scheiben
2 Stangen Lauch, in Scheiben
2 Stangen Sellerie, gehackt
250 g Tomaten, enthäutet
1 Knoblauchzehe, zerdrückt
750 ml Rinderbrühe
150 ml Rotwein
1 TL provencalische Kräutermischung
1 Lorbeerblatt
Salz und Pfeffer

Karotten, Paprikaschoten, Zwiebel, Lauch, Sellerie, Tomaten und Knoblauch in einen großen Topf geben.

Die Brühe und den Wein darübergeben und die Gewürze, das Lorbeerblatt, Salz und Pfeffer dazugeben.

Zum Kochen bringen, zudecken und 1½ Stunden köcheln lassen. Abschmecken, das Lorbeerblatt entfernen und in vorgewärmten Suppenschalen servieren. Knusprige Brotscheiben dazu reichen.
Zubereitungszeit: 1½ Stunden
Für 4 bis 6 Personen

## Vichyssoise

25 g Butter
1 Stange Lauch, in Scheiben
1 kleine Zwiebel, in Scheiben
750 ml Hühnerbrühe
350 g Kartoffeln, geschält, in Scheiben
1 Bund Suppengrün
Salz und Pfeffer
150 ml Rahm
gehackter Schnittlauch zum Garnieren

Die Butter in einem Topf schmelzen, den Lauch und die Zwiebel darin weichdünsten. Brühe, Tomaten und Suppengrün dazugeben, mit Salz und Pfeffer würzen und zum Kochen bringen. Deckel auflegen und 20 bis 30 Minuten köcheln lassen, bis die Kartoffeln weich sind.

Das Suppengrün entfernen, die Suppe etwas abkühlen lassen, dann durch ein Sieb streichen oder im Mixer pürieren.

In den Topf zurückgeben, Rahm hinzufügen und langsam durchwärmen. Abschmecken und in vorgewärmte Suppenschalen geben. Mit Schnittlauch garnieren.
Zubereitungszeit: 35 bis 45 Minuten
Für 4 Personen

## Pâté de Campagne

250 g Kalbfleisch, durchgedreht
250 g Schweinebauch, durchgedreht
250 g Schweineleber, durchgedreht
250 g Brät
1 Knoblauchzehe, zerdrückt
1 TL Senf
6 Beeren Piment, zerstoßen
2 EL Brandy
Salz und Pfeffer
100 g durchwachsener Bauchspeck
2 Lorbeerblätter

Das Kalbs- und das Schweinehackfleisch, die Leber und das Brät in eine Schüssel geben und gut vermischen. Knoblauch, Senf, Piment und Brandy dazugeben und mit Salz und Pfeffer würzen.

Die Masse in eine eingefettete Terrine oder eine Souffléform geben und an der Oberseite glattstreichen. Speck und Lorbeerblätter darauflegen. Mit Alufolie abdecken und in ein Wasserbad stellen. Wasser einfüllen, bis es etwa 2,5 cm hoch ist. Ins vorgeheizte Rohr stellen und bei 160° C 1½ Stunden backen. Auskühlen lassen und gut gekühlt servieren.
Zubereitungszeit: 1½ Stunden
Für 6 Personen

## Hühnerleberpastete

450 g Hühnerleber
1 Zwiebel, gehackt
175 g Butter
2 TL Senfpulver
1 TL provencalische Kräutermischung
1 TL Salz
½ TL gemahlener Pfeffer
1 Radieschen zum Garnieren

Die Hühnerleber und die Zwiebel in einen Topf geben, 50 g Butter hinzufügen. Langsam anbraten, bis die Leber innen nicht mehr rosa und die Zwiebel weich ist.

Vom Feuer nehmen, die Leber und die Zwiebel durch ein Sieb streichen oder im Mixer pürieren. Die restliche Butter, Senf, Kräuter, Salz und Pfeffer dazugeben, gut umrühren und in eine Servierschüssel füllen. Kaltstellen und mit Radieschen garnieren.
Zubereitungszeit: 10 Minuten
Für 4 Personen

## Würzige Hühnerpastete

250 g gekochtes Hühnerfleisch
100 g Butter
2 TL Senfpulver
2 TL Worcestershire Sauce
Salz und Pfeffer
Zitronenscheiben und Brunnenkresse
   zum Garnieren

Das Hühnerfleisch durch den Fleischwolf drehen oder im Mixer pürieren. Butter, Senf, Worcestershire Sauce, Salz und Pfeffer nach und nach einrühren.

Die Masse in vier kleine Formen oder eine große Souffléform füllen. Kühlen und mit Zitronenscheiben und Kresse garniert servieren.
Für 4 Personen

*Im Uhrzeigersinn von hinten: Makrelenpastete (Seite 12); Hühnerleberpastete; Würzige Hühnerpastete; Pâté de Campagne (Foto: Colman's Mustard)*

## Makrelenpastete

*4 geräucherte Makrelenfilets, ohne Haut und*
  *Gräten*
*1 TL Senfpulver*
*50 g Butter*
*40 g Mehl*
*300 ml Milch*
*15 g Gelatine*
*2 EL Zitronensaft*
*300 ml Sahne*
*Salz und Pfeffer*

Die Makrelen zerdrücken oder im Mixer pürieren und mit dem Senfpulver vermischen.

Die Butter in einem Topf schmelzen, das Mehl dazugeben und eine Minute bräunen. Vom Feuer nehmen und langsam die Milch einrühren. Wieder erhitzen und rühren, bis die Sauce dick wird. Abkühlen lassen.

Die Gelatine auf den Zitronensaft streuen, in einer feuerfesten Schüssel in ein sprudelndes Wasserbad stellen. Die Gelatine unter Rühren auflösen.

Fisch, Sauce und Gelatine in einer Schüssel zusammenrühren, die Sahne steifschlagen und unter die Fischmischung heben. Mit Salz und Pfeffer würzen. In eine Pasteten- oder Souffléform geben und in den Kühlschrank stellen, bis die Masse fest ist. Auf eine Servierplatte geben, Toast und Salat dazu reichen.
Zubereitungszeit: 10 Minuten
Für 6 bis 8 Personen
Abbildung auf Seite 11

## Pâté Maison

*100 g magerer Schinken*
*3 EL Brandy*
*450 g Kalbsleber, durchgedreht*
*100 g Schweinebauch, durchgedreht*
*1 Ei*
*2 EL Sahne*
*2 EL Zitronensaft*
*1 Knoblauchzehe, zerdrückt*
*Salz und Pfeffer*
*50 g Hühnerleber, grob gehackt*

Die Rinde von dem Schinken entfernen, und mit dem Schinken eine feuerfeste Form auslegen. Brandy darübergeben.

Kalbsleber, Schweinefleisch, Ei, Sahne, Zitronensaft und Knoblauch mischen, salzen und pfeffern. Die Hälfte der Masse in die Form füllen, die Hühnerleber dazugeben und mit dem Rest der Fleischmischung bedecken. Die Form in ein Wasserbad stellen (Wasserhöhe 2,5 cm) und im vorgeheizten Rohr etwa 2 Stunden backen. Falls die Pastete zu braun werden sollte, mit Alufolie zudecken.

Die Pastete aus dem Rohr nehmen und mit einem Gewicht beschweren. Über Nacht in den Kühlschrank stellen. Auf zwei Servierplatten geben und mit Toast servieren.
Zubereitungszeit: 2 Stunden
Für 6 Personen

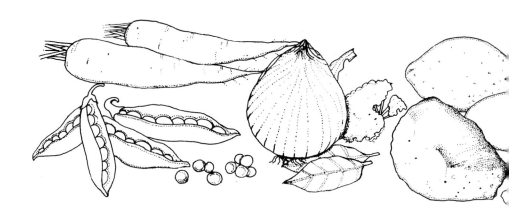

## Französische Bauernpastete

175 g Schweineleber, in Scheiben
100 g magerer Schinken
100 g Kalbfleisch, zum Kochen
1 kleine Zwiebel, gehackt
2 Knoblauchzehen, zerdrückt
50 g Semmelbrösel
1 EL gehackte Petersilie
2 Eier, geschlagen
150 ml Milch
Salz und Pfeffer
3 Lorbeerblätter

Die Leber mit kochendem Wasser bedecken und 5 Minuten stehenlassen. Abtropfen lassen und die Leber mit dem Schinken, der Zwiebel und dem Kalbfleisch durchdrehen. Knoblauch, Semmelbrösel, Petersilie, Eier und Milch dazugeben. Mit Salz und Pfeffer würzen. Gut vermischen und in eine eingefettete Backform (Kastenform) füllen. Die Lorbeerblätter auf die Masse legen und alles mit Alufolie bedecken.

Im vorgeheizten Rohr bei 160°C eine Stunde backen. 5 Minuten in der Form lassen. Die Lorbeerblätter entfernen und die Pastete auf eine Servierplatte stürzen. Kühlen und in Scheiben schneiden.
Zubereitungszeit: 1 Stunde
Für 4 Personen

## Hühnchen-Gemüse-Topf

250 g Hühnerfleisch
150 ml Sahne
Salz und Pfeffer
2 EL gehackte Petersilie
2 Karotten, geschält
75 g grüne Bohnen
75 g Erbsen

Das Hühnerfleisch im Mixer zerkleinern, mit Sahne, Petersilie, Salz und Pfeffer vermischen. Die Karotten in Stifte schneiden. Karotten, Bohnen und Erbsen in drei Töpfen in Salzwasser 5 Minuten blanchieren. Gut abtropfen lassen.

Ein paar Karottenstifte und Erbsen in einer eingefetteten, feuerfesten Form drapieren. Mit einer Lage Hühnerfleisch bedecken und dann Erbsen, Hühnerfleisch, Bohnen und Karotten schichtweise daraufgeben. Mit eingefettetem Pergamentpapier und Alufolie bedecken.

Die Schüssel in ein Wasserbad stellen und alles ins vorgeheizte Rohr schieben. Bei 160°C 45 Minuten bis 1 Stunde backen.

Abkühlen lassen und die übriggebliebene Flüssigkeit abgießen. Auf eine Servierplatte stürzen und im Kühlschrank gut durchkühlen. Mayonnaise, Brot und Butter dazu reichen.
Zubereitungszeit: 45 Minuten bis 1 Stunde
Für 4 Personen

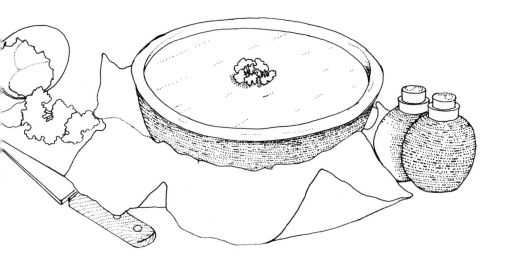

# Fischgerichte

## Kabeljau mit Dijonsenf-Sauce

2 EL Mehl
Salz und Pfeffer
4 Kabeljaufilets
40 g Butter
**Sauce:**
40 g Butter
40 g Mehl
300 ml Milch
3 TL Dijonsenf
1 EL gehackte Petersilie
Salz und Pfeffer
Petersilienzweige zum Garnieren

Das Mehl mit Salz und Pfeffer vermengen und die Filets darin wenden. Den Fisch in eine Grillpfanne legen und in die unterste Schiene des Grills schieben. Mit Butterflöckchen bestreuen und von beiden Seiten je 8 Minuten grillen, bis der Fisch weich ist.

Sauce: die Butter in einem Topf schmelzen und das Mehl einrühren. 1 Minute bräunen und dann vom Feuer nehmen. Langsam die Milch dazugeben und unter Rühren wieder erhitzen, bis die Sauce dick wird. Senf und Petersilie dazugeben, mit Salz und Pfeffer würzen.

Die Fischfilets auf einer vorgewärmten Platte anrichten und die Sauce darübergeben. Mit Petersilie garnieren.
Zubereitungszeit: 30 Minuten
Für 4 Personen

## Forelle mit Entenpastete und Orangenfüllung

geriebene Schale und Saft von 2 Orangen
1 kleine Zwiebel, feingehackt
100 g Entenpastete
100 g Semmelbrösel, angebräunt
1 EL gehackte Petersilie
40 g Walnüsse, gehackt
Salz und Pfeffer
4 Forellen
**Garnierung:**
Orangenscheiben
Walnußhälften

Orangenschalen, Saft, Zwiebel, Pastete, Semmelbrösel, Petersilie und Walnüsse vermischen und mit Salz und Pfeffer würzen.

Die Forellen putzen und ausnehmen. Die Fülle in die Bauchhöhle geben und die Fische wieder zusammenklappen. In eine flache, eingefettete Form geben und im vorgeheizten Rohr (160°C) etwa 30 bis 35 Minuten backen. Die Form zuvor mit Alufolie bedecken.

Die Forellen herausnehmen und auf eine vorgewärmte Platte geben. Mit Orangenscheiben und Walnußhälften garnieren.
Zubereitungszeit: 30 bis 35 Minuten
Für 4 Personen

Kabeljau mit Dijonsenf-Sauce
(Foto: Colman's Mustard)

## Coquilles St. Jacqués Patricia

*4 Scheiben Weißbrot (ca. 3,5 cm)*
*100 g Butter*
*1 kleine Zwiebel, feingehackt*
*150 ml trockener Weißwein*
*150 ml Sahne*
*8 große Jakobsmuscheln, geöffnet*
*2 Eier, getrennt*
*Salz und Pfeffer*
*2 EL geriebener Parmesankäse*
**Garnierung:**
*Cayennepfeffer*
*Brunnenkresse*

Die Weißbrotscheiben rund schneiden, dann mit einem scharfen Messer das Innere der Kreise ausschneiden, sodaß 4 Brotförmchen mit einem dünnen Boden und Seitenwänden entstehen.

75 g Butter schmelzen und die Brote damit bestreichen. Auf ein Backblech geben und im vorgeheizten Rohr bei 190° C goldbraun backen.

Inzwischen die restliche Butter in einem Topf schmelzen und die Zwiebel darin weichdünsten. Den Wein dazugeben und zum Kochen bringen. Sieden lassen, bis die Flüssigkeit um die Hälfte reduziert ist. Die Sahne dazugeben und wieder bis auf die Hälfte reduzieren.

Das Muschelfleisch jeweils halbieren und in die Sauce geben. 3 Minuten pochieren.

Etwas abkühlen lassen, dann Eidotter einrühren, salzen und pfeffern und in die Brote füllen.

Eiweiß steifschlagen und den Käse unterheben. In einen Spritzbeutel füllen und die Brote damit bedecken. Im vorgeheizten Rohr bei 200° C etwa 10 bis 15 Minuten backen, bis der Eischaum goldbraun und knusprig ist.

Heiß servieren, mit Cayennepfeffer und Brunnenkresse servieren.
Zubereitungszeit: 1 Stunde
Für 4 Personen

## Poisson en Brochette

*100 g Perlzwiebeln, geschält*
*Salz und Pfeffer*
*100 g Zucchini, in Scheiben*
*250 g durchwachsener Schinkenspeck, ohne Rinde*
*250 g Miesmuscheln, geöffnet*
*450 g fester Fisch, in Würfeln*
*100 g Champignons*
*Lorbeerblätter*
*50 g Butter, geschmolzen*
**Als Beilage:**
*gekochter Reis*
*Tomatensauce*

Die Zwiebeln in kochendem Salzwasser 2 Minuten blanchieren und abtropfen lassen.

Die Speckstreifen mit dem Messerrücken glätten, halbieren und die Stücke jeweils um eine Muschel wickeln.

Alle Zutaten auf 4 Grillspieße stecken, salzen und pfeffern und mit der geschmolzenen Butter bestreichen. Im vorgeheizten Rohr 6 bis 8 Minuten grillen. Wenden, erneut mit Butter bestreichen und weitere 6 bis 8 Minuten grillen.

Die Spieße auf dem Reis anrichten und Tomatensauce dazu reichen.
Zubereitungszeit: 25 Minuten
Für 4 Personen

## Sardinen mit Boursin

*450 g Sardinen*
*Salz und Pfeffer*
*150 g Boursin Käse*
*etwas Mehl*
*2 Eier, geschlagen*
*Semmelbrösel zum Panieren*
*Fritieröl*
*Petersilie zum Garnieren*

Die Fische putzen, die Köpfe entfernen, an der Bauchseite aufschneiden, die Fische aufklappen und jeweils das Rückgrat herausnehmen. Die Fische waschen und mit Küchenkrepp gut abtrocknen.

Die Fische salzen und pfeffern, den Käse mit einer Gabel weichdrücken und in die Fische streichen. Diese zusammenklappen und mit Mehl bestreuen, durch das Ei ziehen und in den Semmelbröseln wälzen.

Das Öl auf 180°C erhitzen und die Fische 4 Minuten fritieren. Auf Küchenkrepp abtropfen lassen und auf eine heiße Servierplatte geben. Mit Petersilie garnieren und sofort servieren.

Zubereitungszeit: 4 Minuten
Für 4 bis 6 Personen

## Fisch Lyonnaise

25 g Butter
2 große Zwiebeln, in dünnen Scheiben
Salz und Pfeffer
½ TL Zucker
750 g Scholle
150 ml trockener Weißwein
7 EL Wasser
1 TL Pilzextrakt (Fertiggewürz)
1 TL Zitronensaft
gehackte Petersilie zum Garnieren
**Beurre manié:**
15 g Butter
15 g Mehl

Die Butter in einem großen Topf schmelzen und die Zwiebeln dazugeben. Mit Salz, Pfeffer und Zucker würzen. Die Zwiebeln glasig dünsten, aber nicht braun werden lassen.

Den Fisch waschen und putzen, entlang des Rückgrates einschneiden und auf die Zwiebel legen. Die dunkle Seite nach unten geben. Wasser, Wein, Pilzextrakt und Zitronensaft dazugeben, den Deckel auflegen und alles 20 Minuten köcheln lassen. Alle 5 Minuten übergießen. Den Fisch aus dem Topf nehmen und die Haut entfernen. Dann auf eine vorgewärmte Platte legen und die Zwiebeln um den Fisch herum verteilen.

Beurre manié: Butter und Mehl vermengen und etwas von der Buttermasse zu der Flüssigkeit im Topf geben. Gut schlagen und allmählich die restliche Buttermasse hineinrühren. Die Sauce erhitzen und unter Umrühren ein-dicken, dann mit einem Löffel über den Fisch geben. Mit Petersilie garnieren.

Zubereitungszeit: 35 Minuten
Für 4 Personen

## Merlan mit Sauce Provençal

750 g Merlanfilets, enthäutet
50 g Mehl, mit Salz und Pfeffer gewürzt
3 EL Öl
**Sauce:**
25 g Butter
1 kleine Zwiebel, feingehackt
1 Knoblauchzehe, zerdrückt
100 g Pilze, in Scheiben
25 g Mehl
250 g Tomaten aus der Dose
1 EL Tomatenmark
300 ml Fischbrühe
1 EL trockener Sherry
1 TL getrockneter Oregano
Salz und Pfeffer
Petersilie zum Garnieren

Sauce: Butter in einem Topf schmelzen, Knoblauch, Zwiebel und Pilze darin 10 Minuten anbraten. Mehl einrühren und 1 Minute bräunen. Tomaten und Saft, Tomatenmark, Brühe und Sherry dazugeben und zum Kochen bringen. Mit Oregano, Salz und Pfeffer würzen, den Deckel auflegen und 10 bis 15 Minuten köcheln lassen.

Inzwischen den Fisch mit Mehl bestäuben. Das Öl in einer Pfanne erhitzen und den Fisch etwa 10 Minuten braten, bis er gleichmäßig goldbraun ist. Auf Küchenkrepp abtropfen lassen.

Den Fisch auf einer vorgewärmten Platte anrichten und etwas Sauce darübergeben. Den Rest der Sauce extra reichen. Mit Petersilie garniert servieren.

Zubereitungszeit: 30 bis 40 Minuten
Für 4 Personen

## Fisch à la Crème

*8 Flunderfilets zu je 75 g*
*50 g Mehl*
*Salz und Pfeffer*
*50 g Butter*
*1 Bund Frühlingszwiebeln, gehackt*
*150 ml Milch*
*150 ml Rahm*
*100 g gekochte und geschälte Garnelen*

Die Filets waschen und abtrocknen. Das Mehl mit Salz und Pfeffer würzen und die Filets bemehlen.

Die Butter in einer Pfanne schmelzen und den Fisch 2 bis 3 Minuten anbraten.

Frühlingszwiebeln, Milch und Rahm in die Pfanne geben und alles 8 Minuten köcheln lassen. Kurz vor dem Servieren die Garnelen dazugeben und fast bis zum Siedepunkt erhitzen.

Bei Bedarf nachwürzen und in eine vorgewärmte Servierschüssel geben.
Zubereitungszeit: 15 bis 20 Minuten
Für 4 Personen

## Rotbarbe à la Moutarde

*4 Rotbarben*
*1 kleine Zwiebel, feingehackt*
*1 Knoblauchzehe, zerdrückt*
*2 EL Zitronensaft*
*3 EL gehackte Petersilie*
*Salz und Pfeffer*
**Senfbutter:**
*50 g Butter*
*4 TL Dijonsenf*
*1 TL Zitronensaft*
*½ TL provencalische Kräutermischung*
**Garnierung:**
*Petersilie*

Die Fische an der Bauchseite aufschneiden, mit der Haut nach oben auf eine Unterlage legen, fest auf das Rückgrat drücken, die Fische umdrehen und das Rückgrat mit möglichst vielen Gräten herausziehen.

Den Fisch mit der Haut nach unten in eine eingefettete flache Form geben. Mit Zwiebel, Knoblauch, Zitronensaft und Petersilie bestreuen, salzen und pfeffern. Im vorgeheizten Rohr bei 180°C etwa 20 bis 25 Minuten backen, bis der Fisch weich ist.
Senfbutter: Alle Zutaten vermengen und in 4 Portionen aufteilen.

Den Fisch auf einer vorgewärmten Platte anrichten und mit Petersilie garnieren. Auf jeden Fisch eine Portion Senfbutter geben.
Zubereitungszeit: 20 bis 25 Minuten
Für 4 Personen

## Moules Marinières

*25 g Butter*
*1 Zwiebel, gehackt*
*1 Knoblauchzehe, zerdrückt*
*300 ml trockener Weißwein*
*2 EL Zitronensaft*
*3 frische Lorbeerblätter*
*Salz und Pfeffer*
*3,5 kg frische Miesmuscheln, geputzt und sortiert*
*6 EL gehackte Petersilie*

Die Butter in einem großen Topf schmelzen, Zwiebeln und Knoblauch darin andünsten, Wein, Zitronensaft und Lorbeer dazugeben und mit Salz und Pfeffer würzen. Zum Kochen bringen und die Muscheln dazugeben. Den Deckel auflegen und auf hoher Stufe 5 bis 10 Minuten kochen. Gelegentlich den Topf durchschütteln, bis alle Muscheln geöffnet sind. Die Lorbeerblätter entfernen und alle geschlossenen Muscheln wegwerfen.

Die Muscheln abtropfen lassen und in eine vorgewärmte Servierschüssel geben. Die Flüssigkeit im Topf 5 Minuten aufkochen, mit Salz und Pfeffer abschmecken und Petersilie dazugeben. Über die Muscheln verteilen und das Gericht mit französischem Weißbrot servieren.
Zubereitungszeit: 15 bis 20 Minuten
Für 4 bis 6 Personen

*Moules Marinières*
*(Foto: Sea Fish Kitchen)*

## Würzige Krabben

50 g Semmelbrösel
120 ml Milch
150 g Krabbenfleisch, geschnitten
2 Eidotter
75 g Butter, geschmolzen
2 TL Senf
¼ TL Muskatblüte
2 EL gehackte Petersilie
Salz und Pfeffer
**Belag:**
20 g Semmelbrösel
1 EL gehackte Petersilie
15 g Butter
**Garnierung:**
Zitronenscheiben
Brunnenkresse

Die Semmelbrösel 15 Minuten in der Milch einweichen, dann mit dem Krabbenfleisch vermengen. Eidotter, Butter, Senf, Muskatblüte und Petersilie dazugeben und mit Salz und Pfeffer würzen. Gut vermischen und in 4 Muschelformen füllen.

Belag: Semmelbrösel und Petersilie vermengen, über die Krabbenmischung streuen und Butterflöckchen daraufgeben. Im vorgeheizten Rohr 10 bis 15 Minuten bei 230° C überbacken, bis der Belag goldbraun ist. Mit Zitronenscheiben und Brunnenkresse garnieren. Heiß servieren.
Zubereitungszeit: 10 bis 15 Minuten
Für 4 Personen

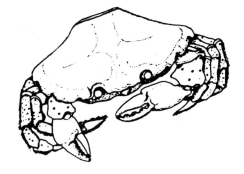

## Crêpes mit Meeresfrüchten

**Crêpes:**
100 g Mehl
½ TL Salz
1 Ei, geschlagen
300 ml Milch
Öl
**Füllung:**
250 g Weißfisch
100 g geschälte Garnelen
300 ml Milch
25 g Butter
25 g Mehl
Salz und Pfeffer
4 reife Tomaten, enthäutet
1 EL Zitronensaft
Petersilie zum Garnieren

Crêpes: Mehl und Salz in eine Schüssel sieben, in die Mitte eine Vertiefung drücken und ein Ei und die Hälfte der Milch hineingeben. Mit einem Kochlöffel glattrühren, dann den Rest der Milch dazugeben. Den Teig in einen Krug füllen.

Eine beschichtete Pfanne einölen und mäßig erhitzen. Den Pfannenboden mit Teig bedecken und an der Unterseite goldbraun backen. Wenden und die andere Seite backen. Weitere 7 Crêpes backen und warmhalten. (Auf einen Teller legen und zwischen die Crêpes jeweils 1 Blatt Pergamentpapier legen. Den Teller über einen Topf mit heißem Wasser stellen.)

Füllung: Weißfisch, Garnelen und die Hälfte der Milch in einen Topf geben. Den Deckel auflegen und 5 Minuten köcheln lassen. Den Fisch und die Garnelen herausnehmen und die Flüssigkeit aufheben. Den Fisch zerteilen und von Haut und Gräten befreien.

Die Butter in einem frischen Topf schmelzen und das Mehl einrühren. Eine Minute bräunen und vom Feuer nehmen. Die Milchbrühe und die restliche Milch dazugeben und unter Rühren aufkochen, bis die Sauce dick wird. Mit Salz und Pfeffer würzen.

Die Tomaten hacken, mit dem Fisch, den Garnelen und dem Zitronensaft in die Sauce geben. Abschmecken und die Masse auf die Crêpes verteilen. Zusammenklappen und in eine heiße Servierschüssel geben. Mit Petersilie bestreuen.

Zubereitungszeit: 35 bis 40 Minuten

Für 4 Personen

## Lachs-Mousse

25 g Butter
25 g Mehl
300 ml Milch
Salz und Pfeffer
2 Eier, getrennt
1 EL Gelatine
1 EL Zitronensaft
3 EL Wasser
250 g gekochter Lachs, in Scheiben
1 EL Tomatenmark
150 ml Sahne
Gurkenscheiben zum Garnieren

Die Butter in einem Topf schmelzen, das Mehl einrühren und 1 Minute bräunen. Vom Feuer nehmen und die Milch dazugeben. Unter Umrühren erhitzen, bis die Sauce dick wird, dann mit Salz und Pfeffer würzen. Die Eidotter einrühren, die Sauce gut durchwärmen und dann abkühlen lassen.

Wasser und Zitronensaft in eine feuerfeste Form geben und die Gelatine daraufstreuen. Die Form in ein Wasserbad stellen und umrühren, bis die Gelatine sich auflöst. Etwas abkühlen lassen und zusammen mit dem Lachs und dem Tomatenmark in die Sauce geben.

Die Sahne steifschlagen und unterheben. Eiweiß steifschlagen und ebenfalls unterheben. Die Mousse abschmecken und in eine ausgespülte Schüssel füllen. Im Kühlschrank kaltstellen, bis die Masse fest ist.

Vor dem Servieren die Schüssel in kochendes Wasser tauchen und die Mousse auf eine Servierplatte stürzen. Mit Gurkenscheiben garnieren und grünen Salat dazu reichen.

Zubereitungszeit: 20 Minuten

Für 4 bis 6 Personen

## Gefüllter Seebarsch

1,75 kg Seebarsch
150 g Butter
2 Zwiebeln, gehackt
250 g Langkornreis
500 ml Wasser
1 TL Salz
175 g Pilze, in Scheiben
2 TL Estragon, gehackt
1 TL Minze, gehackt
1 TL Salbei, gehackt
3 TL Petersilie, gehackt
Pfeffer
Saft 1 Zitrone
**Garnierung:**
Zitronenscheiben
Petersilienzweige

Den Fisch schuppen und säubern, aber im Stück lassen. 50 g Butter in einem Topf schmelzen und die Zwiebeln 3 Minuten anbraten. Den Reis dazugeben und 1 Minute mitbraten, dann mit Wasser auffüllen und salzen. Zum Kochen bringen und die Pilze hinzufügen. Den Deckel auflegen und den Reis 15 Minuten köcheln, bis er weich ist. Die Kräuter einrühren, mit Salz und Pfeffer würzen.

Den Fisch innen salzen und pfeffern, außen mit Zitronensaft beträufeln und ebenfalls salzen und pfeffern. In eine große Bratform legen und mit der Reismischung füllen. Mit Zahnstochern oder Cocktailspießchen zustecken, die restliche Butter in Flöckchen auf dem Fisch verteilen. Den Fisch in vorgeheiztem Rohr bei 190°C 30 Minuten backen. Häufig mit Flüssigkeit begießen.

Auf einer vorgewärmten Platte anrichten und die Spießchen entfernen. Mit Zitronenscheiben und Petersilie garnieren.

Zubereitungszeit: 55 Minuten

Für 4 Personen

# Fleisch- und Geflügelgerichte

## Flambiertes Steak mit Leber und Brandysauce

15 g Butter
4 Filetsteaks
150 ml Rinderbrühe
100 g Leberpastete
Salz und Pfeffer
4 EL Brandy
Brunnenkresse zum Garnieren

Die Butter in einer Pfanne schmelzen und das Fleisch auf beiden Seiten 2 Minuten anbraten, dann herausnehmen. Brühe und Leberpastete in die Pfanne geben und rühren, bis ein dicker Brei entstanden ist. Mit Salz und Pfeffer würzen.

Das Fleisch wieder in die Pfanne geben und 5 Minuten braten. Den Brandy in einem Töpfchen oder eine Schöpfkelle erhitzen, anzünden und über das Fleisch gießen. Die Pfanne rütteln, sodaß der Brandy sich verteilen kann und möglichst lange brennt. Dann sind die Steaks gar.

Das Fleisch auf eine vorgewärmte Servierplatte legen und die Sauce verteilen. Mit Brunnenkresse garnieren und heiß auftragen.
Zubereitungszeit: 15 bis 20 Minuten
Für 4 Personen

*Boeuf en Croûte*
*(Foto: Colman's Mustard)*

## Boeuf en Croûte

1,5 kg Rinderfielt
1 EL Öl
Salz und Pfeffer
40 g Butter
500 g Pilze, feingehackt
1 kleine Zwiebel, feingehackt
4 EL Meerrettichsenf
450 g gefrorener Blätterteig, aufgetaut
1 geschlagenes Ei zum Glasieren

Das Fleisch mit Öl, Salz und Pfeffer einreiben. Auf einen Rost legen und im vorgeheizten Rohr 40 Minuten bei 230°C braten. Herausnehmen und kaltwerden lassen.

Die Butter in einer Pfanne schmelzen und Zwiebel und Pilze weichdünsten. Gut abtropfen lassen und mit dem Senf zu einer Paste verrühren.

Den Teig zu einem Rechteck ausrollen, das groß genug ist, das Fleisch zu umhüllen. Die Ränder anfeuchten. Die Senfpaste auf das Filet streichen und dieses auf den Teig geben. Den Teig um das Fleisch wickeln und die Ränder gut verschließen. Mit der „Naht" nach unten auf ein Backblech legen. Teigreste ausrollen und in Blättchenform ausschneiden. Auf der Fleischrolle drapieren.

Alles mit Ei bestreichen und den Teig an 3 Stellen einstechen. Im vorgeheizten Rohr bei 230°C etwa 40 Minuten goldbraun backen.
Zubereitungszeit: 1 Stunde 40 Minuten
Für 6 Personen

## Boeuf Chasseur

1 EL Öl
25 g Butter
750 g Rindfleisch zum Schmoren, gewürfelt
1 Zwiebel, feingehackt
1 Knoblauchzehe, zerdrückt
25 g Mehl
300 ml Rinderbrühe
1 EL brauner Zucker
250 g Tomaten aus der Dose
1 TL Tomatenmark
300 ml Rotwein
Salz und Pfeffer
100 g Champignons
Petersilie zum Garnieren

Öl und Butter in einem großen Topf erhitzen und das Fleisch 5 Minuten von allen Seiten bräunen. Aus dem Topf nehmen und zur Seite stellen.

Zwiebel und Knoblauch 5 Minuten anbraten, das Mehl dazugeben und eine Minute bräunen. Den Topf vom Feuer nehmen und langsam die Brühe dazugeben. Wieder erhitzen und umrühren, bis die Sauce dick wird. Tomaten mit Saft, Zucker, Tomatenmark und Wein zur Sauce geben, salzen und pfeffern. Das Fleisch wieder in den Topf geben, zum Kochen bringen und zugedeckt 1½ Stunden köcheln lassen. Die Pilze dazugeben und weitere 30 Minuten kochen. Mit Petersilie garnieren und heiß servieren.
Zubereitungszeit: 2¼ Stunden
Für 4 Personen

## Rindfleisch mit Frühlings- zwiebeln und Pilzen

50 g Butter
4 Filetsteaks
2 TL Tomatenmark
2 TL Fleischextrakt
150 ml Wasser
Salz und Pfeffer
1 Bund Frühlingszwiebeln
100 g Champignons
4 EL Rahm
gehackte Petersilie zum Garnieren

Die Butter in einem Topf schmelzen und die Steaks 10 Minuten anbraten. Häufig wenden. Tomatenmark und Fleischextrakt dazugeben und 1 Minute mitbraten. Mit Wasser aufgießen, salzen und pfeffern.

Die Zwiebeln und Pilze putzen und waschen; gut abtropfen lassen. Die restliche Butter in einem anderen Topf schmelzen, Zwiebeln und Pilze 3 Minuten anbraten und zum Fleisch geben.

Zum Kochen bringen, den Deckel auflegen und 25 Minuten köcheln lassen. Den Rahm einrühren und die Sauce abschmecken. Das Fleisch und das Gemüse auf einer vorgewärmten Platte anrichten und die Sauce darübergeben. Mit Petersilie garnieren und Reis dazu reichen.
Zubereitungszeit: 45 Minuten
Für 4 Personen

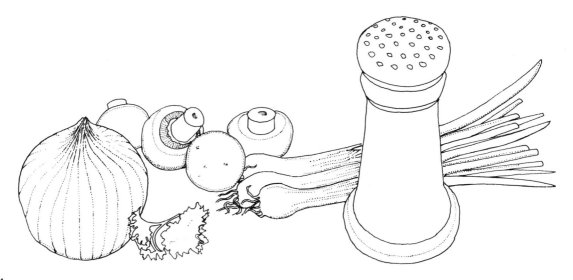

## Kalbfleisch „Suprême"

1 große Zwiebel, in Scheiben
3 Selleriestangen, gehackt
3 Karotten, in Scheiben
750 g Kalbfleisch zum Schmoren, gewürfelt
Salz und Pfeffer
1 Bund Suppengrün
300 ml Hühnerbrühe
3 TL Maisstärke
2 EL Wasser
4 EL Rahm
**Garnierung:**
4 Schinkenröllchen
gehackte Petersilie

Zwiebel, Sellerie und Karotten in eine Kasserolle geben. Das Fleisch darübergeben und großzügig salzen und pfeffern. Das Suppengrün und die Brühe daraufgießen, den Deckel auflegen und im vorgeheizten Rohr bei 160°C 1½ Stunden schmoren.

Maisstärke in dem Wasser auflösen und in den Topf einrühren. Wieder ins Rohr schieben und weitere 20 Minuten schmoren.

Das Suppengrün vor dem Servieren aus dem Topf nehmen, die Sauce abschmecken und den Rahm unterrühren. Mit Schinkenröllchen und Petersilie garnieren.
Zubereitungszeit: 1 Stunde 50 Minuten
Für 4 Personen

## Zitronenlamm

500 g Lammfilet
2 EL Mehl
Salz und Pfeffer
2 EL Öl
4 EL Rinderbrühe
½ Zitrone, in dünnen Scheiben
15 g Butter
**Garnierung:**
Zitronenscheiben
Brunnenkresse

Das Fleisch in dünne Scheiben schneiden und flachklopfen. Mehl, Salz und Pfeffer vermischen und das Fleisch damit bestreuen. Das Öl in einem Topf erhitzen und das Fleisch von beiden Seiten darin anbräunen.

Mit der Brühe aufgießen und die Zitronenscheiben auf dem Fleisch verteilen. Zum Kochen bringen, zudecken und 10 bis 15 Minuten köcheln lassen. Das Fleisch herausnehmen und auf einer vorgewärmten Platte warmhalten. Zitronensaft und Butter in den Topf geben, salzen und pfeffern und erhitzen. Über das Fleisch geben und mit Zitronenscheiben und Kresse garnieren.
Zubereitungszeit: 20 bis 25 Minuten
Für 4 Personen

## Lamm in Weißwein

3 EL Mehl
Salz und Pfeffer
750 g Lammfleisch aus der Schuler, gewürfelt
2 EL Öl
2 Knoblauchzehen, zerdrückt
300 ml trockener Weißwein
1 Lorbeerblatt
2 Eidotter, geschlagen
1 EL Zitronensaft
gehackte Petersilie zum Garnieren

Das Mehl mit Salz und Pfeffer würzen. Das Fleisch in eine Schüssel legen und das Mehl darübergeben. Wenden, bis das Fleisch ganz mit Mehl bedeckt ist.

Öl in einem Topf erhitzen und das Fleisch mit Knoblauch von allen Seiten braunbraten. Aus dem Topf nehmen und in eine Kasserolle umfüllen. Den Wein und das Lorbeerblatt dazugeben, salzen und pfeffern. Den Deckel auflegen und im vorgeheizten Rohr bei 150°C 2 Stunden schmoren.

Vor dem Servieren die Eidotter und den Zitronensaft einrühren und das Fleisch mit Petersilie bestreuen. Reis oder neue Kartoffeln dazu reichen.
Zubereitungszeit: 2 Stunden 10 Minuten
Für 4 Personen

# Marinierte Lammsteaks

*4 Lammsteaks aus der Lende*
**Marinade:**
*2 TL Öl*
*1 EL Sojasauce*
*2 Knoblauchzehen, zerdrückt*
*Salz und Pfeffer*
**Sauce:**
*1 EL Öl*
*1 Zwiebel, in Scheiben*
*250 g Tomaten aus der Dose*
*½ grüne Paprikaschote, entkernt und gewürfelt*
*½ provencalische Kräutermischung*
*1 TL Zitronensaft*
*Salz und Pfeffer*
*50 g Pilze, gehackt*
*Petersilie zum Garnieren*

Die Zutaten der Marinade zusammenrühren und das Fleisch 2 bis 3 Stunden darin ziehen lassen. Gut abtropfen lassen.

Das Fleisch 10 bis 15 Minuten von beiden Seiten bei Mittelhitze im Grill bräunen.

Inzwischen die Sauce zubereiten: Öl in einem Topf erhitzen und die Zwiebel 5 Minuten dünsten. Tomaten mit Saft, Paprika, Kräuter und Zitronensaft dazugeben, salzen und pfeffern. Zum Kochen bringen, zudecken und 20 Minuten köcheln lassen. Die Pilze hinzufügen und weitere 5 Minuten köcheln.

Die Lammsteaks auf einer vorgewärmten Servierplatte anrichten und die Sauce darübergeben. Mit Petersilie garnieren.
Zubereitungszeit: 30 Minuten
Für 4 Personen

# Lammnüßchen

*50 g Butter*
*1 EL Öl*
*8 Lammnüßchen aus der Lende*
*1 große Zwiebel, feingehackt*
*1 Knoblauchzehe, zerdrückt*
*500 g Tomaten, enthäutet und gehackt*
*1 EL Tomatenmark*
*150 ml trockener Weißwein*
*Salz und gemahlener Pfeffer*
*1 EL gehackte Petersilie zum Garnieren*

Jeweils die halbe Menge Butter und Öl in einem Topf erhitzen und das Lammfleisch 15 Minuten anbraten.

Inzwischen die restliche Butter und das Öl in einem anderen Topf erhitzen und Zwiebel und Knoblauch weichdünsten. Tomaten, Tomatenmark und Wein dazugeben und unter Rühren zum Kochen bringen. 10 bis 15 Minuten unter gelegentlichem Umrühren kochen lassen und mit Salz und Pfeffer würzen.

Das Fleisch auf eine Servierplatte geben und mit der Sauce übergießen. Mit Petersilie garnieren.
Zubereitungszeit: 40 Minuten
Für 4 Personen

*Lammnüßchen*
*(Foto: New Zealand Lamb Information Bureau)*

# Cassoulet

1 EL Öl
1 große Zwiebel, in Scheiben
100 g Schinken, gehackt
1 kg Schweinebauch, in Würfeln
100 g getrocknete Bohnen, über Nacht
   eingeweicht
250 g Knoblauchwurst, gewürfelt
750 ml Fleischbrühe
250 g Tomaten aus der Dose
Gewürzsträußchen
Salz und Pfeffer
75 g Semmelbrösel

Das Öl in einem Topf erhitzen und Zwiebel und Schinken 3 Minuten anbraten. Das Schweinefleisch dazugeben und 5 Minuten von allen Seiten bräunen.

Die Bohnen abtropfen lassen, mit der Knoblauchwurst, der Brühe, den Tomaten mit Saft und den Kräutern in den Topf geben. Mit Salz und Pfeffer würzen. Zum Kochen bringen und unter Rühren 10 Minuten köcheln lassen. In eine Kasserolle umfüllen.

Zudecken und im vorgeheizten Rohr bei 160°C 1½ Stunden schmoren. Die Kräuter herausnehmen und die Sauce nachwürzen. Mit den Semmelbröseln bestreuen und ohne Deckel für eine weitere Stunde in den Ofen schieben. Heiß servieren.
Zubereitungszeit: 2 Stunden 50 Minuten
Für 4 bis 6 Personen

# Schweinekoteletts Dijonnaise

1 kg Kartoffeln, geschält
1 große Zwiebel, geschält
geriebene Schale einer halben Orange
1 TL getrockneter Salbei
300 ml Fleischbrühe
Salz und Pfeffer
4 Schweinekoteletts
4 TL Dijonsenf
4 EL Rahm
gehackte Petersilie zum Garnieren

Kartoffeln und Zwiebel hacken und in eine flache eingefettete Form schichten. Orangenschale, Salbei, Brühe, Salz und Pfeffer dazugeben.

Die Koteletts waschen und auf das Gemüse legen. Mit Alufolie zudecken und im vorgeheizten Rohr bei 190°C etwa 40 Minuten schmoren. Die Folie abnehmen und die Temperatur auf 200°C erhöhen. Weitere 30 Minuten braten, bis das Fleisch und das Gemüse weich ist.

Die Koteletts herausnehmen und warmhalten. Rahm und Senf vermischen und unter das Gemüse rühren. Das Gemüse auf einer vorgewärmten Platte anrichten und die Koteletts in die Mitte geben. Mit Petersilie garnieren.
Zubereitungszeit: 1¼ Stunden
Für 4 Personen

## Schweinefleisch „Normandie"

25 g Butter
350 g mageres Schweinefleisch, in Würfeln
1 Zwiebel, gehackt
1 Dessertapfel, geschält, entkernt, in Scheiben
300 ml Apfelwein
600 ml Fleischbrühe
250 g Langkornreis
Salz und Pfeffer
4 EL Sahne
gehackte Petersilie zum Garnieren

Die Butter in einem großen Topf schmelzen und das Fleisch bei hoher Temperatur etwa 15 Minuten braten, bis es gleichmäßig braun und fast durch ist. Die Zwiebel dazugeben und 5 Minuten bräunen, dann den Apfel in den Topf geben.

Apfelwein, Brühe, Reis, Salz und Pfeffer einrühren und zum Kochen bringen. In eine Kasserolle umfüllen, zudecken und 30 Minuten im vorgeheizten Rohr (180°C) backen, bis der Reis weich ist. Die Sauce abschmecken, und vor dem Servieren die Sahne einrühren. Mit Petersilie bestreuen.
Zubereitungszeit: 1 Stunde
Für 4 Personen

## Schweinefleisch „Boulangère"

1,75 kg Schweinsfüße
Öl
Salz und Pfeffer
1 kg Kartoffeln, geschält
3 Zwiebeln, geschält
450 g Zucchini
300 ml Hühnerbrühe
1 Knoblauchzehe, zerdrückt
1 Zweig frischer Thymian

Die Schwarte einschneiden und mit Öl und Salz einreiben. Im vorgeheizten Rohr bei 220°C eine Stunde braten, herausnehmen und auf eine Platte legen.

Kartoffeln, Zwiebeln und Zucchini in Scheiben schneiden und in eine Fleischpfanne schichten. Mit den Kartoffeln aufhören. Das Fleisch darauflegen, die Brühe mit Knoblauch und Thymian mischen und über das Gemüse geben. Mit Salz und Pfeffer würzen und im Rohr bei 190°C 1¼ Stunden schmoren.
Zubereitungszeit: 2¼ Stunden
Für 4 Personen

## Truthahn mit Roquefort und Leberpastete gefüllt

1 Truthahn ca. 3 kg, geputzt
2 EL Brandy, angewärmt
50 g Butter, geschmolzen
Salz und Pfeffer
300 ml trockener Weißwein
150 ml Sahne
**Füllung:**
100 g Roquefortkäse, zerbröselt
100 g Leberpastete
100 g Semmelbrösel
1 EL gehackte Petersilie
Salz und Pfeffer

Füllung: Käse, Pastete, Semmelbrösel und Petersilie vermengen, mit Salz und Pfeffer würzen. Gut mischen und in den Truthahn füllen. Die Öffnung zunähen.

Den Truthahn in eine Bratform geben, den Brandy darübergießen und anzünden. Mit der geschmolzenen Butter bestreichen, salzen und pfeffern. Den Wein dazugeben und die Form mit Alufolie bedecken. Im vorgeheizten Rohr bei 160°C 3½ Stunden garen. Die Folie entfernen und weitere 30 Minuten braten.

Den Truthahn auf eine vorgewärmte Platte legen und warmhalten. Die Sahne unter den Bratensaft rühren, langsam erhitzen und in eine Sauciere füllen. Zum Truthahn servieren.
Zubereitungszeit: 4 Stunden
Für 6 bis 8 Personen

## Truthahn mit Oliven

4 Truthahnschnitzel
Bratöl
**Füllung:**
50 g Semmelbrösel
geriebene Schale einer halben Orange
8 gefüllte Oliven, in Scheiben
40 g gekochter Schinken, gehackt
Salz und Pfeffer
25 g Margarine
1 kleine Zwiebel, feingehackt
**Sauce:**
15 g Butter
1 Zwiebel, gehackt
1 Knoblauchzehe, zerdrückt
2 TL Mehl
3 EL Orangensaft
150 ml Fleischbrühe
1 Dose Zuckermais, ca. 300 g, püriert
Salz und Pfeffer
**Garnierung:**
gefüllte Olivenscheiben
Orangenscheiben
Petersilienzweige

Die Truthahnschnitzel zwischen 2 Lagen Plastikfolie dünnklopfen.

Füllung: Semmelbrösel, Orangenschale, Oliven und Schinken mischen und mit Salz und Pfeffer würzen. Die Margarine in einem Topf schmelzen, die Zwiebel anbraten und in die Füllung rühren, damit sie bindet.

Die Masse auf die Truthahnschnitzel verteilen, diese aufrollen und mit Zahnstochern zusammenstecken. Das Öl in einer Pfanne erhitzen und die Truthahnrouladen 10 bis 15 Minuten braten, bis sie fast durch sind. Aus der Pfanne nehmen und in eine flache feuerfeste Form geben. Die Form einfetten. Im vorgeheizten Rohr bei 180°C 15 Minuten braten.

Sauce: Butter und Öl in einer Pfanne erhitzen, Zwiebel und Knoblauch darin 5 Minuten anbräunen. Mehl einrühren und 1 Minute mitbräunen, langsam den Orangensaft und die Brühe dazugeben. Unter Rühren erhitzen, bis die Sauce dick wird, dann den Mais hinzufügen. Mit Salz und Pfeffer abschmecken. Die Sauce gut durchwärmen und dann über das Fleisch gießen. Für 15 Minuten ins Rohr schieben. Mit Olivenscheibchen, Orangenscheiben und Petersilie garnieren und heiß servieren.
Zubereitungszeit: etwa 1 Stunde
Für 4 Personen

## Truthahn „Gascogne"

50 g Butter
1 große Zwiebel, gehackt
4 Truthahnfilets
100 g Pilze, in Scheiben
40 g Mehl
450 ml Hühnerbrühe
geriebene Schale und Saft einer halben Zitrone
50 g Gewürzgurken, gehackt
2 EL gehackte Petersilie
Salz und Pfeffer
4 EL Sahne

Die Butter in einer Pfanne schmelzen und die Zwiebel 5 Minuten anbraten. Das Fleisch in die Pfanne geben und von beiden Seiten bräunen, dann herausnehmen.

Die Pilze 3 Minuten in der Pfanne anbraten, das Mehl dazugeben und 1 Minute anbräunen. Brühe, Zitronenschale und Saft einrühren. Zum Kochen bringen und die Gewürzgurken und die Petersilie dazugeben; mit Salz und Pfeffer würzen. Die Truthahnfilets wieder in die Pfanne geben, Deckel auflegen und 30 Minuten köcheln lassen. Die Sahne einrühren und alles in eine vorgewärmte Servierschüssel umfüllen.
Zubereitungszeit: 50 Minuten
Für 4 Personen

*Truthahn mit Oliven*
*(Foto: British Turkey Federation)*

30

## Rebhuhn in Rotwein

*4 EL Öl*
*4 Rebhühner, geputzt*
*1 Zwiebel, gehackt*
*50 g Champignons*
*250 g Zucchini, in Scheiben*
*Salz und Pfeffer*
*150 ml Rotwein*
*2 EL Mehl*
*2 EL Wasser*

Das Öl in einem Topf erhitzen und die Rebhühner von allen Seiten anbräunen. Aus dem Topf nehmen und auf Küchenkrepp abtropfen lassen.

Zwiebel, Pilze und Zucchini in den Topf geben und 5 Minuten anbraten. Herausnehmen und in eine Kasserolle umfüllen. Die Rebhühner darauflegen und mit Salz und Pfeffer bestreuen.

Den Wein darübergießen, Deckel auflegen und im vorgeheizten Rohr bei 180° C etwa 1½ Stunden garen. Das Mehl mit Wasser verrühren und in den Bratensaft rühren. Weitere 15 Minuten braten und die Rebhühner häufig mit der Flüssigkeit übergießen. Heiß servieren.
Zubereitungszeit: 2 Stunden
Für 4 Personen

## Coq au Vin

*2 EL Öl*
*25 g Butter*
*1 Brathähnchen, in 4 Teilen*
*12 kleine Zwiebeln, geschält*
*4 Streifen Schinkenspeck, gehackt*
*100 g Champignons*
*300 ml Rotwein*
*1 Gewürzsträußchen*
*Salz und Pfeffer*
*25 g Margarine*
*2 EL Mehl*

Öl und Butter in einer großen Pfanne erhitzen und das Hühnchen 10 Minuten goldbraun anbraten. Herausnehmen und in eine große Kasserolle legen.

Zwiebeln, Speck und Pilze in die Pfanne geben und 5 Minuten anbraten. Ebenfalls in die Kasserolle geben und den Wein darübergießen. Gewürze, Salz und Pfeffer dazugeben und im vorgeheizten Rohr bei 180° C 1½ Stunden schmoren.

Den Bratensaft aus der Kasserolle in einen kleinen Topf abgießen. Margarine und Mehl zu einer „Beurre manié" zusammenrühren. Bei milder Hitze langsam in die Weinsauce einrühren. Wenn die Sauce eingedickt ist, unter Rühren noch 1 Minute weiterkochen und dann abschmecken. Das Hühnchen und das Gemüse auf einer Platte anrichten und die Rotweinsauce darübergeben.
Zubereitungszeit: 2 Stunden
Für 4 Personen

## Poussins Richelieu

*4 Küken*
**Füllung:**
*25 g Butter*
*1 Zwiebel, gehackt*
*50 g Pilze, gehackt*
*100 g Schinkenpastete*
*100 g gekochten Schinken, durchgedreht oder*
  *gehackt*
*2 EL Petersilie, gehackt*
*geriebene Schale und Saft einer Zitrone*
*50 g Semmelbrösel*
*Salz und Pfeffer*
*1 Ei, geschlagen*

Füllung: Butter in einem Topf schmelzen, Zwiebel und Pilze 5 Minuten anbraten und dann abkühlen lassen. Pastete, Schinken, Petersilie, Zitronenschale, Saft, Semmelbrösel, Salz und Pfeffer dazugeben und mit dem Ei binden.

Die Küken säubern und abtrocknen und mit der Masse füllen. Mit kleinen Spießen verschließen und die Küken in eine große Bratpfanne legen. Mit Butterflöckchen bestreuen und im vorgeheizten Rohr bei 180° C etwa 45 Minuten backen. Auf einer Servierplatte anrichten und den Bratensaft darübergeben.
Zubereitungszeit: 1 Stunde
Für 4 Personen

## Hühnchenragoût

25 g Butter
1 Zwiebel, in Scheiben
2 Selleriestangen, gehackt
1 Karotte, in Scheiben
50 g Pilze, in Scheiben
300 ml Hühnerbrühe
1 Gewürzsträußchen
1 EL Maisstärke
Salz und Pfeffer
2 EL Sherry
150 ml Milch
350 g Hühnerfleisch, gekocht und
   kleingeschnitten
250 g Langkornreis, gekocht
gehackte Petersilie zum Garnieren

Die Butter in einem Topf schmelzen und Zwiebel, Sellerie, Karotte und Pilze 5 Minuten anbraten. Brühe, Kräuter, Salz und Pfeffer dazugeben und zum Kochen bringen. Den Deckel auflegen und 20 Minuten köcheln lassen.

Die Maisstärke in Sherry auflösen und mit der Milch zum Gemüse geben. Unter Umrühren erhitzen, bis die Sauce dick wird. Das Hühnerfleisch in den Topf geben und zugedeckt 20 Minuten köcheln lassen. Das Gewürzsträußchen herausnehmen und die Sauce abschmecken. Auf einer vorgewärmten Platte einen Reisrand formen und das Ragoût in die Mitte füllen. Mit Petersilie garnieren.
Zubereitungszeit: 50 Minuten
Für 4 Personen

## Hühnchen „Véronique"

1 Brathähnchen, ca. 1,5 kg
Salz und Pfeffer
frische Kräuter
450 ml Hühnerbrühe
50 g Butter
1 EL Maisstärke
2 EL Zitronensaft
2 EL Brandy
6 EL Sahne
175 g weiße Trauben, halbiert und entkernt
Petersilie zum Garnieren

Das Hühnchen innen salzen und pfeffern und die Kräuter hineingeben. In eine Bratform legen und die Hälfte der Brühe dazugießen. Die halbe Buttermenge auf das Hühnchen streichen und die Form lose mit Folie bedecken.

Im vorgeheizten Rohr bei 200°C etwa 1½ Stunden schmoren, bis das Fleisch weich ist. Aus dem Rohr nehmen, in 6 Portionen zerteilen und warmstellen.

Den Bratensaft in einen kleinen Topf seihen. Die restliche Butter und die Maisstärke vermengen und langsam bei kleiner Flamme in den Topf geben. Mit einem Schneebesen schlagen, bis die Sauce dick wird und dann den Zitronensaft, den Brandy und die restliche Brühe dazugeben. Unter Rühren erhitzen, bis die Sauce wieder dickflüssig wird.

Die Sauce vom Feuer nehmen, die Sahne einrühren und abschmecken. Die Trauben in die Sauce mischen und über das Hühnchen geben. Mit Petersilie garnieren.
Zubereitungszeit: 1¾ Stunden
Für 6 Personen

# Eier- und Käsegerichte

## Schinken-Mousse

½ Zwiebel, geschält
½ Karotte, geschält
½ Stange Sellerie
1 Lorbeerblatt
3 Pfefferkörner
300 ml Milch
25 g Butter
25 g Mehl
Salz und Pfeffer
2 Eier, getrennt
15 g Gelatine
3 EL Wasser
350 g geräucherter Schinkenspeck, gehackt
3 EL gehackte Petersilie
2 TL Dijonsenf
1 TL Tomatenmark
150 ml Sahne
**Garnierung:**
Gurkenscheiben
300 ml Aspik
Petersilienzweig

Zwiebel, Karotte, Sellerie, Lorbeer und Pfefferkörner mit der Milch in einen Topf geben und langsam zum Kochen bringen. Vom Feuer nehmen und 15 Minuten ziehen lassen. Die Milch in einen Krug abseihen.

Butter in einem Topf schmelzen und das Mehl einrühren. 1 Minute bräunen und vom Feuer nehmen. Die Milch langsam einrühren und unter Rühren erhitzen, bis die Sauce dick wird. Salzen und pfeffern und die Eidotter hineinschlagen.

*Schinken-Mousse*
*(Foto: Mattessons Meats)*

Das Wasser in eine feuerfeste Schüssel gießen, in ein heißes Wasserbad stellen und die Gelatine darüberstreuen. Umrühren, bis sie sich auflöst, und etwas abkühlen lassen. Mit dem Schinken, der Petersilie, dem Senf und dem Tomatenmark in die Sauce einrühren. Sahne steifschlagen und unterheben. Die Eiweiß steifschlagen und ebenfalls unterheben. Die Masse würzen und in eine Souffléform füllen. Im Kühlschrank festwerden lassen. Die Gurkenscheiben darauflegen und mit Aspik bedecken. Kühlen, bis dieses steif ist. Mit Petersilie garnieren.
Zubereitungszeit: 15 bis 20 Minuten
Für 6 bis 8 Personen

## Eier „Bayonnaise"

| | |
|---|---|
| 6 EL Öl | 8 kleine runde Brotscheiben |
| 8 Eier | 250 g Schinken, in Scheiben |
| 15 g Butter | 350 g Champignons |
| Salz und Pfeffer | 2 TL Zitronensaft |

4 EL Öl in einer Pfanne erhitzen und das Brot von beiden Seiten goldbraun anbraten. Auf Küchenkrepp abtropfen lassen und warmstellen. Das restliche Öl in die Pfanne geben und die Eier braten. Jeweils ein Ei auf eine Brotscheibe legen und warmstellen.

Den Schinken in Streifen schneiden und 5 Minuten in der Butter anbraten. Abtropfen lassen und warmstellen. Die Pilze 5 Minuten braten, mit Salz, Pfeffer und Zitronensaft würzen.

Die Brote auf eine vorgewärmte Platte legen, den Schinken dazwischen geben und die Pilze in die Mitte häufen. Heiß servieren.
Zubereitungszeit: 20 bis 25 Minuten
Für 4 Personen

# Französisches Omelette

3 Eier
1 EL kaltes Wasser
Salz und Pfeffer
15 g Butter

Eier, Salz und Wasser in eine Schüssel geben und mit einer Gabel verrühren.

Eine Omelettepfanne vorheizen und die Butter schmelzen. Wenn die Butter zischt, aber noch nicht braun ist, die Eimischung eingießen. Mit einem breiten Holzlöffel oder Spachtel den Teig dünn in der Pfanne ausstreichen.

Während die Oberseite des Omelettes noch flüssig ist, auf die Mitte der Fläche die Fülle geben (siehe Vorschläge unten auf dieser Seite). Die Pfanne schütteln, daß sich das Omelette löst, und zu einem Dreieck zusammenklappen. Auf eine vorgewärmte Platte legen und sofort servieren.
Zubereitungszeit: 5 bis 10 Minuten
Für 1 Person

## Füllungen für 1 Portion:
25 g geriebener Käse
25 g Schinken, gehackt
50 g gehackte Pilze, in Butter gedünstet
1 EL gehackte Petersilie
1 bis 2 EL gemischte frische Kräuter

# Quiche Lorraine

100 g Mehl
1 Prise Salz
25 g Schmalz
25 g Butter
1 EL kaltes Wasser
**Füllung:**
100 g magerer Schinken
3 Eier
300 ml Rahm
Salz und Pfeffer

Mehl und Salz in eine Schüssel sieben, Schmalz und Butter einrühren, bis eine bröselige Masse entsteht. Das Wasser dazugeben und mit einem Messer einrühren, dann den Teig mit den Händen kneten und eine glatte Teigkugel formen.

Den Teig auf einer bemehlten Fläche ausrollen und eine runde Backform (ca. 20 cm ∅) damit auslegen. Zwischen Form und Teig sollen keine Luftblasen sein. Den Teig mit einer Gabel mehrmals leicht einstechen, die Form auf ein Backblech stellen und 15 Minuten im vorgeheizten Rohr (180°C) backen.

Füllung: Den Schinken hacken und im eigenen Fett 5 Minuten braten. Auf Küchenkrepp abtropfen lassen und auf den gebackenen Teig legen.

Die Eier schlagen und den Rahm langsam dazurühren. Mit Salz und Pfeffer würzen. Über den Schinken geben und die Quiche für weitere 30 bis 40 Minuten in den Ofen schieben, bis sie goldbraun gebacken ist. Heiß oder kalt servieren.
Zubereitungszeit: etwa 1 Stunde
Für 4 Personen

## Quiche mit Paprika und Zwiebeln

1 Boden, siehe Rezept Seite 36
**Belag:**
15 g Butter
1 kleine Zwiebel, feingehackt
½ grüne Paprikaschote, entkernt, in Ringen
½ rote Paprikaschote, entkernt, in Ringen
3 Eier
300 ml Rahm
Salz und Pfeffer

Die Butter in einer Pfanne schmelzen und Zwiebel und Paprikaschoten darin weichdünsten. In die Teigform füllen.

Die Eier schlagen und den Rahm dazugeben, mit Salz und Pfeffer würzen. Über das Gemüse geben und die Quiche im vorgeheizten Rohr bei 180°C etwa 40 Minuten backen, bis der Belag goldbraun ist. Heiß oder kalt servieren.
Zubereitungszeit: 40 bis 45 Minuten
Für 4 Personen

## Eier florentiner Art

4 Eier
500 g Spinat
15 g Butter
Salz und Pfeffer
**Sauce:**
25 g Butter
25 g Mehl
300 ml Milch
50 g geriebener Hartkäse
¼ TL Senfpulver
Salz und Pfeffer

Die Eier pochieren und im warmen Wasser lassen, bis sie benötigt werden.

Den Spinat waschen und putzen. Weichkochen und gut abtropfen lassen. Den Spinat wieder in den Topf geben, Butter hinzufügen, salzen und pfeffern. 1 bis 2 Minuten erhitzen und dann in die Mitte einer eingefetteten feuerfesten Form geben. Die Eier darauflegen.

Sauce: Die Butter in einem Topf schmelzen und das Mehl einrühren. 1 Minute bräunen und dann vom Feuer nehmen. Die Milch langsam einrühren, die Sauce unter Rühren wieder erhitzen, bis sie dick wird. Die Hälfte des Käses dazugeben und mit Senf, Salz und Pfeffer würzen. Die Sauce über die Eier geben und mit dem restlichen Käse bestreuen.

Im vorgeheizten Rohr bei Mittelhitze 4 bis 5 Minuten backen. Sofort servieren.
Zubereitungszeit: 25 Minuten
Für 4 Personen

## Quiche mit Anchovis und Tomaten

1 Teigboden gebacken, siehe Rezept S. 36
**Füllung:**
400 g Tomaten aus der Dose
1 Zwiebel, feingehackt
1 Knoblauchzehe, zerdrückt
1 TL getrockneter Salbei
2 Eier
150 ml Rinderbrühe
Salz und Pfeffer
**Belag:**
50 g Anchovisfilets aus der Dose, abgetropft
schwarze Oliven, halbiert, entsteint

Die Tomaten abtropfen lassen und den Saft aufheben. Tomaten grob hacken und in die Teigform füllen. Mit Zwiebel, Knoblauch und Salbei bestreuen.

Die Eier schlagen, mit Tomatensaft, Brühe, Salz und Pfeffer verrühren. Über die Tomaten geben und im vorgeheizten Rohr bei 180°C etwa 40 bis 45 Minuten backen, bis die Masse fest ist. Abkühlen lassen.

Die Anchovis der Länge nach durchschneiden und auf die Quiche legen. Die Oliven zwischen den Anchovis verteilen.
Zubereitungszeit: 40 bis 45 Minuten
Für 4 Personen

## Quiche mit Zucchini und Knoblauch

1 Teigboden, gebacken, siehe Rezept S. 36
**Füllung:**
25 g Butter
250 g Zucchini, in Scheiben
2 Knoblauchzehen, zerdrückt
50 g Knoblauchwurst, gehackt
2 Eier
150 ml Rahm
Salz und Pfeffer
50 g Gruyère Käse, gerieben
**Garnierung:**
Knoblauchwurst, in Scheiben, trichterförmig
  gerollt

Butter in einer Pfanne schmelzen und Zucchini und Knoblauch darin weichdünsten. Herausnehmen und in die Teigform füllen. Mit der Knoblauchwurst bestreuen.

Die Eier schlagen und den Rahm dazugeben, mit Salz und Pfeffer würzen. Über das Gemüse gießen und mit Käse bestreuen. Im vorgeheizten Rohr bei 190°C etwa 30 bis 40 Minuten backen, bis die Quiche goldbraun ist. Heiß oder kalt servieren. Mit den gerollten Wurstscheiben garnieren.
Zubereitungszeit: 35 bis 45 Minuten
Für 4 bis 6 Personen

## Pipérade

2 EL Öl
1 Zwiebel, in dünnen Scheiben
2 grüne Paprikaschoten, entkernt, in Ringen
1 Knoblauchzehe, zerdrückt
250 g Tomaten, enthäutet und gehackt
Salz und Pfeffer
6 Eier
4 Scheiben Schinken

Das Öl in einem großen Topf erhitzen und die Zwiebel weichdünsten. Paprika und Knoblauch dazugeben und weitere 5 Minuten andünsten. Die Tomaten hinzufügen, salzen und pfeffern, den Topf zudecken und alles 20 Minuten kochen lassen.

Die Eier leicht schlagen, zu dem Gemüse geben und umrühren, bis die Eier gestockt sind.

Während die Eier zubereitet werden, den Schinken in einen vorgeheizten Grill geben, damit er gleichzeitig mit den Eiern fertig ist.

Das Gericht auf einen vorgewärmten Teller geben und den Schinken darauf verteilen.
Zubereitungszeit: 35 bis 40 Minuten
Für 4 Personen

*Pipérade*
*(Foto: British Egg Information Service)*

## Schinken Gougère

**Eierteig:**
*150 ml Wasser*
*50 g Butter*
*65 g Mehl, gesiebt*
*1 Prise Salz*
*2 Eier*
*50 g Hartkäse, gerieben*
**Füllung:**
*25 g Butter*
*2 Zwiebeln, in Scheiben*
*50 g Pilze, in Scheiben*
*2 TL Mehl*
*150 ml Fleischbrühe*
*3 Tomaten, enthäutet, geviertelt*
*100 g gekochter Schinken, gehackt*
*Salz und Pfeffer*
*1 EL geriebener Parmesankäse*
*1 EL gebräunte Semmelbrösel*

Wasser und Butter in einen Topf geben und erhitzen, bis die Butter schmilzt und das Wasser zu kochen beginnt. Vom Feuer nehmen und rasch das Mehl und das Salz dazugeben. Gut schlagen, bis die Mischung glatt wird und nicht mehr am Topf klebt. Abkühlen lassen.

Die Eier schlagen und nach und nach zu dem Teig geben, nach jeder Portion schlagen. Die Mischung sollte steif und cremig sein. Den Käse einrühren und die Mischung auf den Seiten einer eingefetteten flachen feuerfesten Form (ca. 25 cm ∅) ausstreichen. Die Mitte der Form freilassen.

Füllung: Butter in einem Topf schmelzen und die Zwiebeln 5 Minuten anbraten. Die Pilze dazugeben und eine Minute bräunen. Brühe und Mehl einrühren, zum Kochen bringen und 5 Minuten köcheln lassen.

Die Tomaten und den Schinken dazugeben, mit Salz und Pfeffer würzen. Die Fülle in die Mitte des Teigringes geben. Parmesankäse und Semmelbrösel vermengen und darüber streuen. Im vorgeheizten Rohr bei 200° C 30 bis 40 Minuten goldbraun backen. Heiß servieren.
Zubereitungszeit: 55 Minuten
Für 4 Personen

## Gefüllte Eierteigbällchen

**Eierteigbällchen:**
*150 ml Wasser*
*50 g Butter*
*65 g Mehl, gesiebt*
*1 Prise Salz*
*2 Eier*
**Füllung:**
*100 g Ardennenpastete*
*50 g geriebener Käse*
*1 EL gehackte Petersilie*
*2 TL gehackte Kapern*
*2 EL Brandy*
*Salz und Pfeffer*
**Belag:**
*1 Eiweiß, leicht geschlagen*
*Paprikapulver*
*Brunnenkresse zum Garnieren*

Wasser und Butter in einen Topf geben und erhitzen, bis die Butter schmilzt und das Wasser fast kocht. Vom Feuer nehmen und rasch das Mehl und das Salz dazugeben. Gut schlagen bis die Mischung nicht mehr am Topf klebt. Abkühlen lassen.

Die Eier schlagen und nach und nach zu dem Teig geben, nach jeder Portion durchschlagen. Die Mischung sollte glatt und cremig werden.

Den Teig mit einem Teelöffel auf ein eingefettetes Backblech geben und im vorgeheizter Rohr bei 200° C etwa 20 Minuten backen. Aus dem Ofen nehmen und die Bällchen an der Seite aufschlitzen. Wieder ins Rohr schieben und weitere 10 Minuten bei 180° C backen. Auf einem Rost auskühlen lassen.

Die Zutaten zur Füllung vermengen und in die Bällchen geben. Die Oberseite mit Eiweiß bestreichen und mit Paprikapulver bestreuen. Die Bällchen auf einer Platte anrichten und mit Brunnenkresse garnieren.
Zubereitungszeit: 35 Minuten
Für 4 Personen

## Käse-Zwiebel-Gratin

50 g Butter
250 g Zwiebeln, gehackt
8 dünne Brotscheiben
250 g geriebener Käse
2 Eier
Salz und Pfeffer
150 ml Rahm
300 ml Milch
Petersilienzweige zum Garnieren

Die Butter in einem Topf schmelzen und die Zwiebeln 5 Minuten darin anbraten. Die Brote vierteln und die Hälfte davon in eine eingefettete feuerfeste Form geben. Die Zwiebeln und die Hälfte des Käses darüberstreuen und die restlichen Brotstücke darüberdecken.

Eier, Salz, Pfeffer, Rahm und Milch mit dem Handmixer schlagen und über die Brote gießen. 30 Minuten ziehen lassen.

Mit dem restlichen Käse bestreuen und im vorgeheizten Rohr bei 200° C 30 bis 40 Minuten backen, bis die Brote goldbraun überbacken sind. Mit Petersilie garnieren und heiß servieren.
Zubereitungszeit: 30 bis 40 Minuten
Für 4 bis 6 Personen

## Käsefondue

1 Knoblauchzehe, halbiert
15 g Butter
300 ml trockener Weißwein
350 g Hartkäse, grob gerieben
1 EL Maisstärke
2 EL Brandy
gemahlener schwarzer Pfeffer
frisch geriebene Muskatnuß nach Geschmack
1 Baguette

Die Innenseite einer feuerfesten Form oder eines Fonduetopfes mit der Knoblauchzehe ausreiben. Butter und Wein hineingeben und erhitzen, bis die Flüssigkeit zu kochen beginnt. Den Käse dazugeben und erhitzen, bis er schmilzt.

Maisstärke mit Brandy mischen und in das Fondue rühren. Mit Pfeffer und Muskat würzen. 3 bis 5 Minuten köcheln, bis die Masse glatt und cremig ist.

Das Fondue auf dem Tisch über einen Spirituskocher stellen, damit es warm bleibt. Das Brot in Würfel schneiden und in einem Körbchen auf den Tisch stellen. Für jede Person eine Fonduegabel bereitlegen, um das Brot in die Käsemasse zu tauchen. Mit Salat servieren.
Zubereitungszeit: 15 Minuten
Für 4 bis 6 Personen

## Käsesoufflé

50 g Butter
50 g Mehl
300 ml Milch
100 g Hartkäse, gerieben
Salz und Pfeffer
¼ TL Senfpulver
3 Eier, getrennt

Die Butter in einer schweren Pfanne schmelzen, das Mehl dazugeben und 1 Minute bräunen. Vom Feuer nehmen und die Milch langsam einrühren. Unter Rühren wieder erhitzen, bis die Sauce dick wird. Eine Minute weiterkochen, dann den Käse einrühren und mit Salz, Pfeffer und Senf würzen.

Die Eidotter zu der Mischung geben und gut schlagen. Die Eiweiß steifschlagen, sie sollten aber nicht trocken sein. Zuerst 1 EL in die Käsemischung rühren, dann den Rest unterheben. In eine eingeölte Souffléform füllen und im vorgeheizten Rohr bei 190° C 35 bis 45 Minuten backen, bis das Soufflé gleichmäßig braun und fest ist. Sofort servieren. Grünen Salat oder Gemüse dazu reichen.
Zubereitungszeit: 40 bis 50 Minuten
Für 4 Personen

# Salate und Gemüsegerichte

## Knoblauchpilze

2–3 Knoblauchzehen, zerdrückt
100 g Butter, weich
Salz und gemahlener Pfeffer
1 EL gehackte Petersilie
24 Pilze ohne Stiele
etwas geschmolzene Butter

Knoblauch, Butter und gehackte Petersilie vermischen und mit Salz und Pfeffer würzen. Die Mischung in einen Spritzbeutel mit einer großen Öffnung füllen.

Die Pilze mit der geschmolzenen Butter bestreichen und auf vier feuerfeste Teller verteilen. In jeden Pilz eine Portion der Knoblauchmasse spritzen und die Teller in den vorgeheizten Backofen schieben. Bei 200° C etwa 10 Minuten backen und heiß servieren. Knusprige Brötchen oder Baguettes dazu reichen.
Zubereitungszeit: 10 Minuten
Für 4 Personen

## Chicoree à la Française

8 Köpfe Chicoree
2 EL Zitronensaft
600 ml Wasser
1 TL Salz

Knoblauchpilze
(Foto: Mushroom Grower's Association)

8 Scheiben gekochter Schinken
40 g Butter
40 g Mehl
600 ml Milch
100 g geriebener Hartkäse
Salz und Pfeffer
Petersilie zum Garnieren

Die Chicoreeköpfe putzen und die äußeren Blätter entfernen. In einen großen Topf geben und Zitronensaft, Wasser und Salz dazugeben. Zum Kochen bringen, die Temperatur reduzieren und den Chicoree 20 bis 25 Minuten köcheln lassen, bis er weich ist.

Gut abtropfen lassen und jeden Kopf in eine Schinkenscheibe wickeln. In eine flache eingefettete Form legen.

Die Butter in einem Topf schmelzen, das Mehl dazugeben und 1 Minute anschwitzen. Vom Feuer nehmen und die Milch einrühren. Wieder auf den Herd stellen und unter Rühren erhitzen, bis die Sauce dick wird. Eine weitere Minute erhitzen und dann ⅔ des Käses dazugeben, mit Salz und Pfeffer würzen.

Die Sauce über die Schinkenrollen geben und mit dem restlichen Käse bestreuen. Im vorgeheizten Grill bei Mittelhitze 5 Minuten goldbraun backen. Mit Petersilie garnieren und heiß servieren.
Zubereitungszeit: 30 bis 35 Minuten
Für 4 bis 6 Personen

## Pilz-Brochettes

**Sauce:**
*12 Eidotter*
*4 EL Estragonessig*
*2 TL gemahlener schwarzer Pfeffer*
*6 Tomaten, enthäutet und gehackt*
*1 TL Petersilie, gehackt*
*¼ TL Estragon, getrocknet*
*1 Lorbeerblatt*
*Saft von 2 Zitronen*
*450 g Butter, geschmolzen*
*Salz*

**Füllung:**
*24 Steinpilze*
*12 Champignons*
*50 g Butter*
*1 Zwiebel, feingehackt*
*1 Knoblauchzehe, zerdrückt*
*40 g Semmelbrösel*
*Salz und Pfeffer*
*1 Ei, geschlagen*

**Bierteig:**
*90 g Mehl*
*Salz*
*120 ml Bier*
*15 g Butter, geschmolzen*
*150 ml warmes Wasser*
*2 Eiweiß*
*Fritieröl*

Sauce: Eidotter, Essig, Pfeffer, Tomaten, Petersilie und Estragon in eine feuerfeste Schüssel geben. In ein heißes Wasserbad stellen und gut schlagen, bis die Masse dick wird. Das Lorbeerblatt dazugeben und vor dem Servieren Zitronensaft, geschmolzene Butter und Salz einrühren.

Füllung: Die Stiele der Steinpilze entfernen und mit den Champignons kleinhacken. Die Butter in einer Pfanne schmelzen und die Zwiebel 5 Minuten bräunen, gehackte Pilze, Knoblauch und Semmelbrösel dazugeben und mit Salz und Pfeffer würzen. Gut mischen und mit einem Ei binden.

Die Masse auf 12 der Pilzkappen verteilen und die anderen 12 wie Deckel daraufsetzen.

Teig: Mehl und Salz in eine Schüssel sieben. In die Mitte eine Vertiefung drücken und das Bier hineingießen. Mehl und Bier gut verrühren, die geschmolzene Butter und das Wasser dazugeben und zu einem dünnen Teig verrühren. Das Eiweiß steifschlagen und unterheben.

Die gefüllten Pilze in den Teig tauchen und in Öl goldbraun ausbacken. Die Pilze auf Spießchen stecken und mit der Sauce servieren.
Zubereitungszeit: 20 Minuten
Für 6 bis 8 Personen

## Avocados mit Krabben, gratiniert

*25 g Butter*
*1 Zwiebel, feingehackt*
*2 Stangen Sellerie, gehackt*
*1 EL Mehl*
*150 ml Milch*
*Salz und Pfeffer*
*100 g weißes Krabbenfleisch*
*2 EL Joghurt*
*2 Avocados*
*Zitronensaft*
*50 g Semmelbrösel*

Die Butter schmelzen und Sellerie und Zwiebel 5 Minuten darin andünsten. Das Mehl dazugeben und 1 Minute bräunen. Vom Feuer nehmen und die Milch langsam dazugeben. Wieder erhitzen und umrühren, bis die Sauce dick wird, dann noch 1 Minute weiterkochen. Etwas abkühlen lassen, mit Salz und Pfeffer würzen und den Joghurt und das Krabbenfleisch einrühren.

Die Avocados halbieren und die Steine entfernen. Die Schnittflächen mit Zitronensaft bestreichen. Die Krabbenmischung in die Avocados füllen und jeweils mit Semmelbröseln bestreuen.

In eine flache feuerfeste Form legen und im vorgeheizten Rohr (200°C) 10 bis 15 Minuten backen, bis die Semmelbrösel braun sind. Grünen Salat dazu reichen.
Zubereitungszeit: 20 bis 25 Minuten
Für 4 Personen

## Gefüllte Zucchini

4 große Zucchini
Salz und Pfeffer
1 Scheibe Weißbrot, ca. 1,5 cm dick
Wasser
3 EL Öl
1 Zwiebel, feingehackt
3 Tomaten, enthäutet und gehackt
1 Knoblauchzehe, zerdrückt

Die Zucchini der Länge nach durchschneiden und mit einem Teelöffel aushöhlen. In Salzwasser 5 Minuten kochen und gut abtropfen lassen. Das Brot in etwas Wasser einweichen. Das Zucchinifleisch kleinschneiden. 2 EL Öl in einer Pfanne erhitzen und das Zucchinifleisch mit der Zwiebel 5 Minuten anbraten. Tomaten und Knoblauch dazugeben, das Brot ausdrükken und ebenfalls in die Pfanne geben. Gut umrühren, salzen und pfeffern.

Die Masse auf die Zucchinihälften verteilen und diese in eine eingefettete flache Form legen. Das restliche Öl darübergeben und die Form mit Folie bedecken. Im vorgeheizten Rohr bei 190°C 15 Minuten backen. Die Folie entfernen und weitere 15 Minuten im Rohr lassen. Heiß servieren.
Zubereitungszeit: 40 Minuten
Für 4 Personen

## Ratatouille

1 mittelgroße Aubergine
Salz
3 EL Öl
1 große Zwiebel, in Scheiben
1 grüne Paprikaschote, entkernt, in Scheiben
500 g Tomaten, enthäutet, in Scheiben
500 g Zucchini, in Scheiben
½ TL getrocknetes Basilikum
1 Knoblauchzehe, zerdrückt
Pfeffer

Die Aubergine in Scheiben schneiden und salzen. 1 Stunde ziehen lassen, dann abwaschen, abtropfen lassen und mit Küchenkrepp abtrocknen.

Das Öl in einem großen Topf erhitzen, Aubergine und Zwiebel 5 Minuten anbraten, dann Paprika, Tomaten und Zucchini dazugeben. Zum Kochen bringen und mit Basilikum, Knoblauch, Salz und Pfeffer würzen. Den Topf zudecken und 40 bis 50 Minuten köcheln lassen. Das Gericht in eine Servierschüssel umfüllen und heiß oder kalt servieren.
Zubereitungszeit: 1 Stunde
Für 4 bis 6 Personen

## Spargel-Garnelen-Gratin

500 g junger Spargel, geputzt
Salz und Pfeffer
25 g Butter
50 g Champignons, geviertelt
50 g geschälte Garnelen, gehackt
3 EL Rahm
50 g geriebener Hartkäse
25 g geriebener Parmesankäse

Die Spargelstangen zu Bündeln von je 6 bis 8 zusammenbinden. Aufrecht in einen Topf mit sprudelndem Salzwasser stellen und 10 Minuten weichkochen. Gut abtropfen lassen, die Verschnürungen entfernen und die Spargelstangen in eine flache feuerfeste Form legen.

Die Butter in einem Topf schmelzen und die Pilze 5 Minuten anbraten. Vom Feuer nehmen, die Garnelen und den Rahm einrühren und mit Salz und Pfeffer würzen. Die Mischung über den Spargel geben.

Die Käsesorten mischen und über den Spargel streuen. Die Form in den vorgeheizten Grill schieben und 10 Minuten backen.
Zubereitungszeit: 25 bis 35 Minuten
Für 4 Personen

## Spinatsoufflé

25 g Butter
1 kleine Zwiebel, gehackt
4 EL Spinat, püriert
50 g Edamerkäse, gerieben
4 Eier, geschlagen
1 Prise Muskat
Salz und Pfeffer
300 ml Milch
50 g Semmelbrösel

Die Butter in einem Topf schmelzen und die Zwiebel weichdünsten, dann mit dem Spinat, dem Käse und den Eiern in eine Schüssel geben. Mit Muskat, Salz und Pfeffer würzen.

Die Milch erhitzen, aber nicht kochen lassen, und zusammen mit den Semmelbröseln in die Schüssel geben. Gut mischen und auf 4 eingefettete Souffléförmchen verteilen. Die Formen in ein Wasserbad stellen und das Ganze 30 bis 35 Minuten ins vorgeheizte Rohr (180° C) stellen. Wenn das Soufflé fest ist, heiß servieren.
Zubereitungszeit: 35 bis 40 Minuten
Für 4 Personen

## Tomaten mit Käsesauce

4 große reife Tomaten
**Füllung:**
25 g Butter
1 kleine Zwiebel, feingehackt
50 g durchwachsener Schinken, gehackt
50 g Semmelbrösel
1 EL gehackte Petersilie
Salz und Pfeffer
50 g geriebener Hartkäse
**Sauce:**
15 g Mehl
15 g Butter
150 ml Milch
50 g geriebener Hartkäse
1 TL Senf
Salz und Pfeffer
**Belag:**
25 g Semmelbrösel

Die „Deckel" von den Tomaten abschneiden und mit einem Löffel das Fruchtfleisch herausholen.

Füllung: Die Butter in einem Topf schmelzen, Zwiebeln und Schinken anbräunen und Semmelbrösel, Petersilie und Käse dazugeben. Mit Salz und Pfeffer würzen. Gut vermengen und die Masse in die Tomaten füllen.

Sauce: Butter in einem Topf schmelzen, das Mehl einrühren und 1 Minute bräunen. Vom Feuer nehmen und die Milch hineingeben. Wieder auf den Herd stellen und unter Rühren erhitzen, bis die Sauce dick wird. Käse und Senf einrühren, mit Salz und Pfeffer würzen. Etwas Sauce auf jede Tomate geben und mit den Semmelbröseln bestreuen.

Für 5 Minuten in den vorgeheizten Grill stellen und bei Mittelhitze goldbraun werden lassen. Heiß servieren.
Zubereitungszeit: 15 Minuten
Für 4 Personen

*Spinatsoufflé*
*(Foto: Outline Slimming Bureau)*

## Pissaladière

**Boden:**
*350 g Backmischung, Hefeteig*
*½ TL Salz*
*75 g Butter*
*150 ml Milch*
**Belag:**
*1 kg große Zwiebeln*
*4 EL Öl*
*400 g Tomaten aus der Dose, abgetropft*
*1 Knoblauchzehe, zerdrückt*
*Salz und Pfeffer*
**Garnierung:**
*ca. 50 g Anchovis aus der Dose, abgetropft*
*schwarze Oliven, entsteint*

Boden: Mehl und Salz in eine Schüssel sieben, die Butter dazugeben und verrühren, bis eine bröselige Masse entsteht. Mit der Milch zu einem weichen Teig verarbeiten. Auf eine bemehlte Fläche geben und kneten, bis der Teig glatt ist. Zu einem Rechteck ausrollen und ein eingefettetes Backblech (ca. 20 x 30 cm) auslegen.

Belag: die Zwiebeln in dünne Scheiben schneiden. Das Öl in einem Topf erhitzen und die Zwiebeln 5 Minuten anbraten. Den Deckel auflegen und die Zwiebeln 30 Minuten dünsten, bis sie ganz weich sind. Die Tomaten dazugeben und mit Knoblauch, Salz und Pfeffer würzen. Weitere 10 Minuten weichkochen.

Den Belag auf dem Teig ausbreiten. Die Anchovisfilets der Länge nach durchschneiden und gitterförmig über die Zwiebelmischung legen. Im vorgeheizten Rohr bei 220°C etwa 30 Minuten backen. Die Oliven darauflegen und heiß servieren.
Zubereitungszeit: 1¼ Stunden
Für 4 bis 6 Personen

## Kartoffeln Lyonnaise

*750 g Kartoffeln*
*2 Zwiebeln*
*40 g Butter*
*Salz und Pfeffer*

**Garnierung:**
*gehackte Petersilie*
*gehackter Schnittlauch*

Die Kartoffeln 1 Minute in kochendem Wasser blanchieren und abtropfen lassen. Die Zwiebeln in dünne Scheiben schneiden. In einem Topf die Butter schmelzen und die Zwiebeln darin 5 Minuten anbraten.

Die Kartoffeln schälen, in dünne Scheiben schneiden und mit den Zwiebeln in eine eingefettete Kasserolle schichten, salzen und pfeffern. Mit einer Lage Kartoffeln aufhören. Die Kasserolle zudecken.

Im vorgeheizten Rohr (200°C) 1 Stunde backen. Den Deckel abnehmen und 30 Minuten weiterbacken, bis die Kartoffeln braun sind. Petersilie und Schnittlauch mischen und vor dem Servieren über die Kartoffeln geben.
Zubereitungszeit: 1 Stunde 35 Minuten
Für 4 Personen

## Salade Niçoise

*250 g gekochte neue Kartoffeln*
*2 Tomaten, enthäutet und geviertelt*
*2 Eier, hartgekocht, geviertelt*
*350 g grüne Bohnen, gekocht*
*50 g schwarze Oliven, entsteint*
*200 g Thunfisch aus der Dose, abgetropft,*
*    zerteilt*
*4 Anchovisfilets*
*3 EL Salatsauce „French Dressing"*
*gehackte Petersilie zum Garnieren*

Die Kartoffeln in Würfel schneiden und um den Rand einer Servierplatte legen.

Tomaten, Eier, Bohnen, Oliven und Thunfisch zusammenrühren und in die Mitte der Platte geben. Die Anchovis der Länge nach durchschneiden und gitterförmig auf dem Salat drapieren. Die Salatsauce darübergeben und mit Petersilie garnieren. Dazu knuspriges Brot reichen.
Für 4 Personen

## Auberginen-Karotten-Terrine

**Auberginen-Schicht:**
2 mittelgroße Auberginen
Salz und Pfeffer
25 g Butter
1 EL Mehl
3 Eier, getrennt
150 ml Joghurt
75 g Käse, gerieben
**Karotten-Schicht:**
5 mittelgroße Karotten
Salz und Pfeffer
1 TL brauner Zucker
3 Eier, getrennt
150 ml Joghurt
75 g Käse, gerieben

Die Auberginen in Scheiben schneiden, salzen und 2 Stunden ziehen lassen. Unter kaltem Wasser abspülen und jede Scheibe vierteln. Die Butter in einem Topf schmelzen und die Auberginen 5 bis 10 Minuten weichdünsten. Das Mehl dazugeben und gut verrühren. Weitere 5 Minuten dünsten.

Die Auberginen vom Feuer nehmen, abkühlen lassen, dann Eidotter, Joghurt, Käse, Salz und Pfeffer in den Topf geben. Gut verrühren und zur Seite stellen.

Die Karotten schälen und in Scheiben schneiden. In sprudelndem Wasser weichkochen. Gut abtropfen lassen, mit Salz, Pfeffer und Zucker würzen. Die Karotten zu einem glatten Brei zerstampfen und mit den Eidottern, Joghurt und Käse vermischen. Gut verrühren.

Die 6 Eiweiß steifschlagen und jeweils die Hälfte zu den Auberginen und den Karotten geben. Leicht verrühren und abschmecken.

Eine eingefettete Schüssel oder Souffléform abwechselnd jeweils mit einer Schicht Auberginen- oder Karottenmischung füllen. Im vorgeheizten Rohr bei 190°C etwa 30 bis 40 Minuten backen. Abkühlen lassen, auf eine Servierplatte stürzen und in Scheiben schneiden.
Zubereitungszeit: etwa 1 Stunde
Für 4 bis 6 Personen

## Salade Antiboise

750 g Kabeljaufilet
2 El Zitronensaft
2 El Weißweinessig
6 EL Öl
¼ TL Estragon, getrocknet
Salz und Pfeffer
250 g gekochte neue Kartoffeln, in Vierteln
100 g eingelegte Rote Rüben, gewürfelt
½ Gurke, gewürfelt
Anchovisfilets zum Garnieren

Die Fischfilets enthäuten und in eine Grillpfanne geben, die mit Alufolie ausgelegt ist.

Zitronensaft, Essig, Öl, Estragon, Salz und Pfeffer in ein verschließbares Mixgefäß füllen und schütteln, bis alles gut vermischt ist. Den Fisch mit etwas Sauce bestreichen und 10 Minuten grillen. Ein wenig abkühlen lassen.

Den Fisch in Stücke schneiden und mit den Kartoffeln, den Roten Rüben und den Gurkenstücken mischen. Die restliche Sauce darübergeben, gut durchmischen und abschmecken. Auf einer Servierplatte anrichten und die Anchovisfilets im Zickzack-Muster darauflegen.
Zubereitungszeit: 15 Minuten
Für 4 Personen

# Kuchen und Desserts

## Gâteau Diane

**Baiser:**
*3 Eiweiß*
*175 g Zucker*
*2 TL Pulverkaffee*
**Buttercreme:**
*175 g Butter*
*3 Eidotter*
*175 g Zucker*
*4 El Wasser*
*150 g Vollmilchschokolade, geschmolzen*
**Dekoration:**
*50 g geröstete Mandeln, blättrig geschnitten*
*Puderzucker*

2 Backbleche mit Pergamentpapier auslegen und 3 Kreise mit 15 cm Durchmesser auf dem Papier markieren.

Die Eiweiß steifschlagen, dann die halbe Zuckermenge und den Kaffee unterheben. Den Eischaum auf die 3 Kreise verteilen und im vorgeheizten Rohr bei 110°C 4 Stunden lang backen. Während der letzten Stunde einmal wenden. Abkühlen lassen und in einem luftdichten Behälter aufbewahren.

Füllung: die Butter schaumig rühren. In einer anderen Schüssel die Dotter schlagen, bis sie hellgelb sind. Zucker und Wasser in einen Topf geben und langsam erhitzen, bis der Zucker sich auflöst, dann schnell zum Kochen bringen. Die Flüssigkeit muß siruppartig werden. Diesen Sirup zu den Dottern geben und unter beständigem Rühren mit einem Schneebesen die Butter dazugeben. Die geschmolzene Schokolade einrühren und abkühlen lassen, damit die Creme dick wird.

*Gâteau Diane*
*(Foto: Cadbury Food Advisory Service)*

Die Baisers aufeinanderlegen und jeweils die Schokoladencreme dazwischenstreichen. Die restliche Creme oben und an den Seiten verstreichen. Die Mandelscheiben darauf verteilen. 3 Papierstreifen über den Kuchen legen und Puderzucker daraufstreuen. Das Papier wegnehmen und den Kuchen auf einer Tortenplatte servieren.
Zubereitungszeit: etwa 4 Stunden
Für 6 bis 8 Personen

## Crème Brûlée

*600 ml Sahne*
*1 Vanilleschote*
*6 Eidotter*
*3 EL Zucker*

Sahne und Vanille in einen Topf geben und bis knapp unter den Siedepunkt erhitzen. Die Eidotter mit 1 EL Zucker rühren, bis sie hellgelb sind.

Die Vanilleschote aus der Sahne nehmen und diese unter die Eimischung heben. Gut verrühren und die Masse in 6 eingefettete Soufflèförmchen verteilen. In ein warmes Wasserbad stellen und im vorgeheizten Rohr bei 160°C 20 bis 25 Minuten backen. Kalt werden lassen. Über Nacht in den Kühlschrank stellen.

Den restlichen Zucker über die Eiercreme streuen und in den vorgeheizten Grill stellen. Bei Mittelhitze backen, bis eine Karamelhülle entsteht. Abkühlen lassen und vor dem Servieren 2 bis 3 Stunden in den Kühlschrank stellen.
Zubereitungszeit: 40 Minuten
Für 6 Personen

## Soufflé Milanaise

15 g Gelatine
3 EL Wasser
geriebene Schale und Saft von 2 Zitronen
4 Eier, getrennt
100 g Zucker
150 ml Sahne
50 g Mandeln, gehackt und geröstet

Eine Souffléform mit Pergamentpapier umwikkeln, daß ein 7,5 cm breiter Rand übersteht. Form und Papierrand mit Öl einstreichen.

Die Gelatine auf das Wasser streuen und die Schüssel in ein sehr heißes Wasserbad stellen. Rühren, bis die Gelatine sich aufgelöst hat.

Die Zitronenschale, den Saft, die Eidotter und den Zucker in eine Schüssel geben und rühren, bis die Flüssigkeit dick und hellgelb aussieht. Unter Rühren die Gelatine hineingeben.

Die Sahne steifschlagen und unter die Zitronenmischung heben. Die Eiweiß steifschlagen und ebenfalls unterziehen. Das Soufflé in die vorbereitete Form füllen und festwerden lassen.

Den Papierrand vorsichtig entfernen und die Mandeln an die Seiten des Soufflés drücken. Gut gekühlt servieren. Je nach Geschmack mit Sahne verzieren.
Für 6 Personen

## Magda

250 g Vollmilchschokolade
1 El Pulverkaffee
1 TL Vanilleessenz
300 ml kochendes Wasser
15 g Gelatine
3 EL Wasser
150 ml Sahne
gezuckerte Rosenblättchen zum Garnieren
4 Löffelbiskuits

Die Schokolade in Stückchen brechen und mit dem Kaffee und der Vanille in einen Topf geben. Mit dem kochenden Wasser übergießen

und auf niedriger Flamme rühren, bis die Schokolade geschmolzen ist.

Wasser in eine feuerfeste Schüssel geben und die Gelatine daraufstreuen. In ein heißes Wasserbad stellen und rühren, bis die Gelatine aufgelöst ist. Etwas abkühlen lassen und die Schokolade einrühren. Stehenlassen, bis die Mischung fest wird.

Die Sahne steifschlagen, ein wenig für die Garnierung aufheben und den Rest in die Schokoladencreme rühren. Auf 4 Glasschüsselchen verteilen und festwerden lassen.

Mit Sahne und Rosenblättchen garnieren und die Löffelbiskuits dazu reichen.
Zubereitungszeit: 10 Minuten
Für 4 Personen

## Chocolat Bavarois

3 Eier
2 TL Maisstärke
2 EL Zucker
½ TL Vanilleessenz
450 ml Milch
100 g Vollmilchschokolade, geschmolzen
20 g Gelatine
4 EL Wasser
150 ml Sahne
geschlagene Sahne zum Garnieren

Eier, Maisstärke und Zucker in eine Schüssel geben und gut verrühren. Vanille dazugeben. Die Milch erhitzen, aber nicht kochen, dann die Schokolade einrühren. Zu der Eimischung geben, gut vermischen und in den Topf zurückfüllen. Unter Rühren erhitzen, bis die Masse am Löffel hängen bleibt. In einer Schüssel kalt werden lassen.

Wasser in eine feuerfeste Schüssel geben und die Gelatine daraufstreuen. In ein heißes Wasserbad stellen und rühren, bis die Gelatine aufgelöst ist. Abkühlen lassen und in den Eierteig geben. Die Sahne steifschlagen und mit einem Metallöffel unterheben. Die Masse in eine eingeölte Form füllen und an einen kühlen Ort stellen, damit sie fest wird.

Auf eine Platte stürzen und mit Sahne dekorieren.
Zubereitungszeit: 10 Minuten
Für 6 Personen

# Paris Brest

**Eierteigring:**
*150 ml Wasser*
*50 g Butter*
*65 g Mehl, gesiebt*
*1 Prise Salz*
*2 Eier, geschlagen*
**Belag:**
*½ geschlagenes Ei*
*½ TL Wasser*
*1 EL blättrig geschnittene Mandeln*
**Crème pâtisserière:**
*1 Ei 1 Eidotter*
*50 g Zucker*
*40 g Mehl*
*300 ml Milch*

Teig: Wasser und Butter in einen Topf geben und erhitzen, bis die Butter geschmolzen ist und das Wasser kocht. Vom Feuer nehmen und Mehl und Salz einrühren. Mit einem Schneebesen schlagen, bis die Masse nicht mehr am Topf klebt. Abkühlen lassen.

Die Eier nacheinander in den Teig schlagen, bis er glatt und schaumig ist. Dann in einen Spritzbeutel füllen (2,5 cm Öffnung) und einen Ring von 20 cm Durchmesser auf ein eingefettetes Backblech spritzen.

Belag: Ei und Wasser mischen und den Ring damit bestreichen. Mit den Mandeln bestreuen. Im vorgeheizten Rohr bei 200°C etwa 30 bis 35 Minuten backen, bis der Teig aufgegangen ist. Aus dem Rohr nehmen und mit einem scharfen Messer den Ring horizontal aufschneiden. Den Ofen ausschalten und den Ring weitere 10 Minuten hineinstellen. Auf einem Rost abkühlen lassen.

Crème pâtissière: Ei, Eidotter und Zucker schlagen. Das Mehl mit etwas Milch verrühren und zu den Eiern geben. Die restliche Milch erhitzen, aber nicht kochen lassen, und in die Eiermischung rühren. In den Topf zurückfüllen und unter Rühren erhitzen, bis die Masse dick wird. In einer Schüssel abkühlen lassen. Zudecken, damit sich keine Haut bildet.

Den Teigring vorsichtig durchschneiden und eine Hälfte auf eine Kuchenplatte legen. Mit der Creme bedecken und die zweite Hälfte des Rings, die mit den Mandeln bestreut ist, darauflegen.
Zubereitungszeit: 50 Minuten
Für 6 Personen

# Soufflé Glacé au Fin Champagne

*300 ml Sahne*
*3 EL Brandy*
*5 EL Champagner*
*geriebene Schale und Saft einer halben Zitrone*
*4 Eier, getrennt*
*75 g Zucker*
**Garnierung:**
*geschlagene Sahne*
*Trauben*

Einen Folienstreifen um eine Souffléform wickeln, sodaß ein 5 cm breiter Rand übersteht.

Sahne, Brandy, Champagner, Zitronenschale und Saft in einer Schüssel schlagen, bis die Flüssigkeit etwas steif wird. Eidotter und Zucker zusammen schaumig schlagen und unterheben. Die Mischung in die Souffléform füllen und die Oberfläche glattstreichen. In den Kühlschrank stellen, bis der Schaum fest ist.

Das Soufflé aus dem Kühlschrank nehmen und die Folie vorsichtig entfernen. Mit Sahne und Trauben garnieren.

Vor dem Servieren das Soufflé etwa 20 Minuten bei Raumtemperatur stehenlassen.
Für 8 Personen
Hinweis: statt des Champagners kann auch Weißwein verwendet werden.

## Salat aus roten Beeren

450 ml Wasser
175 g Zucker
225 g rote Johannisbeeren, ohne Stiele
450 g Erdbeeren, ohne Stiele
225 g Himbeeren

Wasser und Zucker in einem Topf erhitzen, bis sich der Zucker gelöst hat, dann 3 Minuten weiterkochen. Vom Feuer nehmen und 5 Minuten abkühlen lassen. Die Johannisbeeren einrühren und kalt werden lassen. Erdbeeren und Himbeeren dazugeben. In eine Schüssel füllen und gut kühlen. Mit Sahne servieren.
Für 6 Personen

## Johannisbeersorbet

225 g frische schwarze Johannisbeeren
300 ml Wasser
100 g Zucker
1 TL Zitronensaft
2 Eiweiß

Die Johannisbeeren und 1 EL Wasser in einen Topf geben und langsam weichkochen. Durch ein Sieb streichen oder im Mixer pürieren. Falls nötig, mit Wasser auf 500 ml auffüllen.

Das restliche Wasser und den Zucker in einen Topf geben und erhitzen, bis der Zucker aufgelöst ist, dann abkühlen lassen.

Das Johannisbeerpüree, den Sirup und den Zitronensaft vermischen, in eine flache Form füllen und im Tiefkühlfach frieren, bis die Masse fest ist.

In eine eisgekühlte Schüssel geben und mit der Gabel zerstoßen. Die Eiweiß steifschlagen und zu den Früchten geben. In die Gefrierform zurückfüllen und wieder ins Eisfach stellen.

Vor dem Servieren das Sorbet 20 Minuten in den Kühlschrank stellen und dann in Glasschälchen füllen.
Zubereitungszeit: 20 Minuten
Für 4 bis 6 Personen

## Kirschkuchen

**Teig:**
75 g Butter
50 g Zucker
1 Eidotter
150 g Mehl
**Füllung:**
300 ml Sahne
40 g Mandelbiskuits, zerbröselt
½ TL Mandelessenz
**Belag:**
450 g Kirschen, entsteint
3 EL rote Johannisbeermarmelade
1 EL Wasser oder Kirschlikör

Teig: Zucker, Butter, Eidotter und Mehl in eine Schüssel geben und gut durchkneten. 10 bis 15 Minuten kaltstellen, dann ausrollen und eine Kuchen- oder Tortenform damit auslegen (ca. 20 cm ⌀). Den Teig mit einer Gabel leicht einstechen und im vorgeheizten Rohr bei 180°C 15 bis 20 Minuten backen. Abkühlen lassen.

Die Sahne steifschlagen und mit den Biskuitbröseln und der Mandelessenz mischen. In die Teigform füllen und verstreichen.

Die Kirschen auf der Sahne verteilen. Wasser oder Kirschlikör und die Johannisbeermarmelade in einem Topf erhitzen und dann als Glasur über die Kirschen geben.
Zubereitungszeit: 15 bis 20 Minuten
Für 4 bis 6 Personen

*Salat aus roten Beeren; Kirschkuchen*
*(Foto: British Sugar Bureau)*

## Bretonische Apfel- und Zitronen-Crêpes

**Crêpes:**
*100 g Mehl*
*1 Prise Salz*
*1 Ei*
*300 ml Milch*
*Öl zum Braten*
**Füllung:**
*450 g Äpfel, geschält, entkernt, in Scheiben*
*75 g brauner Zucker*
*1 EL Wasser*
*1 EL Zitronensaft*
*2 TL geriebene Zitronenschale*
*2 EL Calvados*
*geschlagene Sahne*

Mehl und Salz in eine Schüssel sieben und in die Mitte eine Vertiefung drücken. Das Ei und die Hälfte der Milch hineingeben und rühren, bis der Teig glatt wird. Dann die restliche Milch dazugeben und den Teig in einen Krug umfüllen.

Eine Pfanne (ca. 20 cm ∅) erhitzen und mit Öl bestreichen. Soviel Teig hineingeben, daß der Boden gerade bedeckt ist. Bei mittlerer Temperatur backen, bis die Unterseite goldbraun ist, dann wenden und von der anderen Seite backen. Weitere 7 Crêpes backen und übereinanderstapeln. Jeweils 1 Blatt Pergamentpapier dazwischen legen. Den Teller über einem Topf mit heißem Wasser warmhalten.

Füllung: Äpfel, Zucker, Wasser, Zitronensaft und Schale in einen Topf geben, zudecken und 15 Minuten köcheln, bis die Äpfel weich sind. Die Crêpes und die Äpfel abwechselnd in eine flache Form schichten, mit einem Crêpe abschließen und den Calvados darübergießen. Wie einen Kuchen schneiden und mit Sahne servieren.
Zubereitungszeit: 30 Minuten
Für 4 bis 6 Personen

## Brioche mit Sultaninen

*500 g Mehl*
*½ TL Salz*
*25 g frische Hefe*
*1 El Zucker*
*9 El warmes Wasser*
*100 g Butter, geschmolzen*
*2 Eier, geschlagen*
*100 g Sultaninen*
*geschlagenes Ei zum Glasieren*

Eine hohe Kuchenform (ca. 25 cm ∅) mit Öl bestreichen.

Mehl und Salz in eine Schüssel sieben. Hefe, Zucker, Wasser und Butter vermischen, die Eier dazugeben und alles mit dem Mehl zu einem weichen Teig verrühren. Auf eine bemehlte Fläche geben und 5 Minuten kneten, dann in ein Gefäß geben und zudecken. An einem warmen Platz stehenlassen, bis der Teig das doppelte Volumen erreicht hat.

Den Teig noch einmal durchkneten und dabei die Sultaninen dazugeben. Ein Viertel des Teiges aufbewahren und den Rest in die Schüssel oder einen Topf geben. Aus dem anderen Viertel eine Kugel formen und obendrauf setzen.

Den Teig an einem warmen Platz stehenlassen, bis er bis zum Rand des Gefäßes aufgegangen ist. Mit geschlagenem Ei bestreichen und im vorgeheizten Rohr bei 220°C etwa 10 Minuten backen.

Die Temperatur auf 190°C reduzieren und den Kuchen weitere 30 Minuten backen. Auf einen Teller stürzen und noch etwas warm servieren.
Zubereitungszeit: 35 bis 40 Minuten
Für 8 bis 10 Personen

## Gefüllter Erdbeerkuchen

**Boden:**
*4 Eier*
*100 g Zucker*
*75 g Butter, geschmolzen*
*75 g Mehl*

**Füllung:** *150 ml Sahne, geschlagen*
*250 g Erdbeeren, ohne Stiele*
**Garnierung:** *300 ml Sahne*
*75 g Walnüsse, feingehackt*
*5 Erdbeeren*

Zwei Kuchenformen (ca. 20 cm ∅) mit Pergamentpapier auslegen und mit Öl bestreichen.

Eier und Zucker in eine feuerfeste Form geben und diese in einen Topf mit heißem Wasser stellen. Mit einem Schneebesen schlagen, bis die Flüssigkeit dick und hellgelb wird. Vom Feuer nehmen und unter Rühren abkühlen lassen. Die Hälfte der Butter und das Mehl mit einem Metallöffel einrühren, gut vermischen und den Rest hineingeben. In die beiden Formen füllen.

Im vorgeheizten Rohr bei 180°C etwa 30 Minuten backen, bis der Teig aufgeht und an den Seiten etwas einschrumpft. Auf einem Gitter auskühlen lassen.

Die Sahne für die Füllung in eine Schüssel geben. Die Erdbeeren kleinschneiden und mit der Sahne mischen. Die Sahne auf eine Kuchenhälfte streichen und die zweite daraufklappen.

Die Sahne zum Garnieren steifschlagen und ein wenig davon in einen Spritzbeutel mit sternförmiger Öffnung füllen. Mit der restlichen Sahne den Kuchen oben und an den Seiten bestreichen. Die Walnüsse an den Seiten verteilen und am oberen Rand mit dem Spritzbeutel Sahnerosetten formen. In die Kuchenmitte eine ganze Erdbeere setzen, die anderen halbieren und zwischen die Rosetten legen. Vor dem Servieren etwas kaltstellen.
Zubereitungszeit: ca. 30 Minuten
Für 8 Personen

## Schokoladenroulade

*4 Eier*         *Puderzucker*
*175 g Zucker*     *300 ml Sahne*
*40 g Kakao*

Eine rechteckige, flache Backform mit Pergamentpapier auslegen und mit Öl bestreichen.

Die Eiweiß steifschlagen und beiseitestellen. Die Eidotter in einer großen Schüssel schaumig schlagen, den Zucker dazugeben und

schlagen, bis die Mischung dick wird und Fäden zieht, wenn man den Schneebesen herausnimmt.

Den Kakao auf die Eiermischung sieben und unter das geschlagene Eiweiß heben. Die Masse in die vorbereitete Backform füllen und glattstreichen. Im vorgeheizten Rohr bei 180°C etwa 30 Minuten backen, bis der Teig fest ist.

In der Form 5 Minuten abkühlen lassen und dann auf ein Gitter stürzen. Das Pergamentpapier entfernen und den Kuchen mit einem feuchten Geschirrtuch oder mit Plastikfolie abdecken. Mindestens eine Stunde ruhenlassen.

Die Sahne mit Puderzucker mischen und steifschlagen. Den Kuchen mit der Sahne bestreichen, aufrollen und mit Puderzucker bestreuen.
Zubereitungszeit: ca. 30 Minuten
Für 6 bis 8 Personen

## Ananas Chartreuse

*1 mittelgroße Ananas*     *175 g Zucker*
*600 ml Wasser*         *15 g Gelatine*

Die Ananas mit einem scharfen Messer schälen. Das obere Ende abschneiden und zum Garnieren aufheben. Mit einem entsprechenden Messer das harte Mittelstück entfernen und die Ananas in dünne Scheiben schneiden.

Wasser und Zucker in einem Topf erhitzen, bis sich der Zucker aufgelöst hat, und die Ananasscheiben nacheinander je 3 bis 5 Minuten pochieren. Herausnehmen und auf einen Teller legen.

Die Gelatine über das Zuckerwasser streuen. Wenn nötig, etwas erhitzen. Den Saft, der von den Ananasscheiben abgegeben wird, ebenfalls in den Topf geben.

Etwas Gelee in eine feuchte Backform geben, daß sich am Boden eine dünne Schicht bildet. Festwerden lassen und dann die Ananasscheiben in gleichen Lagen darauflegen.

Die restliche Gelatine über die Ananas geben und die Form in den Kühlschrank stellen, bis die Masse ganz fest ist. In einen Topf mit handwarmem Wasser tauchen und das Dessert auf eine Platte stürzen. Mit der Ananasspitze garnieren.
Zubereitungszeit: 15 Minuten
Für 6 Personen

## Pavlova mit Johannisbeersauce

3 Eiweiß
175 g Zucker
1 TL Maismehl
¼ TL Vanilleessenz
1 TL weißer Essig
**Sauce:**
450 g frische oder gefrorene schwarze
  Johannisbeeren
4 EL Wasser
75 g Zucker
300 ml Sahne
geröstete Mandeln zum Verzieren

Die Eiweiß in einer Schüssel steifschlagen. Die Hälfte des Zuckers teelöffelweise dazugeben.

Maisstärke, Vanille und Essig vermischen und mit etwas Zucker in die Eiweißmasse rühren. Langsam den restlichen Zucker unterheben.

Ein Backblech mit Pergamentpapier auslegen und aus dem Eischnee einen runden Kuchen formen, ca. 20 cm im Durchmesser und 2,5 cm hoch. Im vorgeheizten Rohr bei 140°C eine Stunde backen. Das Rohr ausschalten und das Baiser eine Stunde im Rohr ruhen lassen.

Sauce: die schwarzen Johannisbeeren entstielen und waschen, mit Wasser und Zucker in einen Topf geben und langsam zum Kochen bringen. Den Deckel auflegen und 15 Minuten köcheln lassen. Die Beeren abkühlen lassen und durch ein Sieb passieren oder im Mixer pürieren.

Das Baiser auf eine Kuchenplatte legen, die Sahne steifschlagen und daraufgeben. Mit gerösteten Mandeln bestreuen und die Johannisbeersauce dazu reichen.
Zubereitungszeit: 2¼ Stunden
Für 6 Personen

## Fünffrucht-Meringe

3 Eiweiß
175 g Zucker
**Füllung:**
150 ml Sahne
je 100 g von 5 verschiedenen Obstsorten, z. B.
  Erdbeeren, Himbeeren, Trauben, Kirschen,
  Johannisbeeren

Ein Backblech mit Pergamentpapier auslegen und einen Kreis von ca. 20 cm Durchmesser markieren.

Die Eiweiß sehr steif schlagen. Die Hälfte des Zuckers teelöffelweise einrühren und mit einem Metallöffel den restlichen Zucker langsam dazugeben. Etwas Eischaum auf den markierten Kreis geben, den Rest in einen Spritzbeutel mit sternförmiger Öffnung füllen. Auf den Kreis 5 Blütenblätter spritzen, sodaß die Mitte jeweils frei bleibt. Im vorgeheizten Rohr bei 110°C etwa 3 Stunden backen, bis die Masse knusprig und trocken ist.

Das Pergamentpapier entfernen und die Meringe umgedreht im ausgeschalteten Ofen lassen, damit auch die Unterseite ganz austrocknen kann.

Die Meringe auf eine Kuchenplatte geben. Die Sahne steifschlagen und in die 5 Fächer verteilen. In jedes Segment eine andere Obstsorte geben, wenn möglich mit den Farben abwechseln.
Zubereitungszeit: 3 Stunden
Für 5 Personen

*Meringues à l'Orange; Pavlova mit Johannisbeersauce; Fünffrucht-Meringe*
*(Foto: British Sugar Bureau)*

## Meringues à l'Orange

*3 Eiweiß*
*175 g brauner Zucker*
**Sauce:**
*175 g Orangenmarmelade*
*geriebene Schale und Saft einer Orange*
*25 g brauner Zucker*
*1 EL Rum oder Grand Marnier*
**Füllung:**
*300 ml Sahne*
*2 TL feingeriebene Orangenschale*
*1 EL gesiebter Puderzucker*
*1 EL Rum oder Grand Marnier*

Die Eiweiß steifschlagen und die halbe Zuckermenge teelöffelweise einrühren. Allmählich mit einem Metallöffel den restlichen Zucker dazugeben.

Zwei Backbleche mit Pergamentpapier auslegen. Den Eischaum in einen Spritzbeutel füllen und etwa 30 Eihäufchen auf dem Pergamentpapier verteilen. Nicht zu eng zusammensetzen, damit der Schaum nicht ineinanderläuft. Im vorgeheizten Rohr bei 120° C 1½ Stunden backen. Abkühlen lassen und, falls sie nicht sofort verbraucht werden, die Bällchen in ein luftdichtes Gefäß geben.

Sauce: Marmelade, Orangenschale, Saft, Zucker und Rum oder Grand Marnier in einen Topf geben. Erhitzen, bis der Zucker schmilzt, 2 Minuten weiterkochen lassen. Die Flüssigkeit sollte sirupartig werden, dann abkühlen lassen.

Die Sahne steifschlagen und Orangenschale, Puderzucker und Rum oder Grand Marnier dazugeben. Die Creme auf eine Hälfte der Meringen streichen und die andere Hälfte daraufdrücken. Die Meringen pyramidenförmig auf eine Servierplatte schichten, etwas Sauce darübergießen. Den Rest der Sauce extra reichen.
Zubereitungszeit: ca. 1½ Stunden
Für 6 bis 8 Personen

## Obsttorte

**Pâte sucrée:**
*175 g Mehl*
*50 g Puderzucker*
*75 g Butter*
*3 Eidotter*
*2 Tropfen Vanilleessenz*
**Füllung:**
*150 ml Sahne*
*100 g Sahnekäse*
*1 El Puderzucker*
*6 Orangen*
*100 g weiße Trauben*
*4 El Honig*

Mehl und Puderzucker in eine Schüssel sieben und die Butter einrühren, sodaß eine bröselige Masse entsteht. Mit Eidottern und Vanille binden, kneten, bis ein glatter Teig entsteht, dann 20 Minuten kaltstellen.

Den Teig auf eine bemehlte Fläche geben und ausrollen. Eine runde Backform (ca. 25 cm ∅) damit auslegen. Den Boden mit einer Nadel mehrmals einstechen und die Form mit Alufolie zudecken. Im vorgeheizten Rohr (200° C) 15 Minuten backen. Die Folie entfernen und weitere 5 Minuten backen, dann abkühlen lassen.

Füllung: Die Sahne steifschlagen. Den Sahnekäse mit einer Gabel weichdrücken und den Puderzucker einrühren. Unter die Sahne heben und die Mischung in die Teigform geben.

Die Orangen schälen und in runde Scheiben schneiden. Die Orangen und Trauben abwechselnd in Kreisen auf den Kuchen drapieren.

Den Honig in einem kleinen Topf erhitzen, bis er Blasen wirft und etwas dickflüssiger wird. Über die Früchte verstreichen und abkühlen lassen.
Zubereitungszeit: ca. 25 Minuten
Für 6 Personen

## Aprikosentorte

**Pâte sucrée:**
225 g Mehl
1 Prise Salz
100 g Butterwürfel
50 g Zucker
2 Eidotter
3 EL Wasser
**Füllung:**
1 Ei
1 Eidotter
50 g Zucker
50 g Mehl
1 TL Vanilleessenz
300 ml Milch
**Belag:**
350 g frische Aprikose, halbiert, ohne Stein
75 g Zucker
150 ml Wasser
5 EL Aprikosenmarmelade

Pâte sucrée: Mehl und Salz auf eine kühle Arbeitsfläche sieben. Eine Vertiefung in die Mitte drücken und Butter, Zucker, Eidotter und kaltes Wasser hineingeben. Mit den Händen zu einem glatten Teig verkneten, in Folie wickeln und im Kühlschrank ruhenlassen.

Den Teig ausrollen und eine Springform (ca. 25 cm ∅) auslegen. Den Teig mehrmals einstechen und mit Alufolie zudecken. Im vorgeheizten Rohr bei 190°C etwa 20 bis 25 Minuten backen. Auf einem Gitterrost abkühlen lassen.

Füllung: Ei und Eidotter in einer feuerfesten Schüssel schaumig rühren. Zucker, Mehl und Vanille dazugeben und gut vermischen. Die Milch fast zum Kochen bringen und unter Rühren über die Eimasse gießen. Die Schüssel in ein heißes Wasserbad stellen und erhitzen. Rühren, bis die Flüssigkeit dick wird. Etwas abkühlen lassen und in die Kuchenform füllen.

Aprikosen, Zucker und Wasser (1 EL Wasser aufheben) in einen Topf geben und köcheln, bis die Früchte weich sind. Abtropfen und abkühlen lassen und auf der Creme in der Backform verteilen. Das restliche Wasser mit der Marmelade in einem Topf erhitzen, durch ein Sieb passieren und die Aprikosen damit glasieren. Kalt servieren.
Zubereitungszeit: etwa 1 Stunde
Für 6 Personen

## Gâteau à l'Orange

3 Eier
75 g Zucker
75 g Mehl, gesiebt
1 Prise Salz
2 El Orangenmarmelade
2 EL Grand Marnier
300 ml Sahne
2 mittelgroße Orangen

Eine Springform (ca. 20 cm ∅) mit Pergamentpapier auslegen und mit Öl bestreichen.

Eier und Zucker in einer feuerfesten Schüssel in ein heißes Wasserbad stellen und rühren, bis die Eiflüssigkeit dick und hellgelb ist. Vom Feuer nehmen und unter Rühren abkühlen lassen. Nach und nach das Mehl und das Salz mit einem Metalllöffel unterheben.

Die Masse in die vorbereitete Form geben und im vorgeheizten Rohr bei 180°C etwa 30 Minuten backen, bis der Teig an den Seiten zu schrumpfen beginnt. Auf einem Gitter abkühlen lassen.

Den Kuchen horizontal durchschneiden und eine Hälfte auf eine Tortenplatte legen. Mit der Marmelade bestreichen und mit 1 EL Grand Marnier beträufeln. Die zweite Kuchenhälfte daraufdecken und den restlichen Grand Marnier darübergeben.

Die Sahne steifschlagen und auf dem Kuchen und an den Seiten verteilen. Die Orangen schälen und in dünne Scheiben schneiden. Auf der Oberseite der Torte kreisförmig anordnen. Vor dem Servieren eine Weile kaltstellen.
Zubereitungszeit: etwa 30 Minuten
Für 6 Personen

# Mandelkuchen

Semmelbrösel
**Boden:**
50 g Butter
2 Eier
100 g Zucker
100 g Fertigbackmischung, Hefeteig
1 EL Kakaopulver
2 EL Rahm
**Belag:**
50 g Butter
50 g Zucker
1 EL Mehl
50 g Mandeln, in Scheiben geschnitten
2 TL Milch

Eine Springform (ca. 20 cm ∅) einfetten und mit Semmelbröseln bestreuen.

Teig: Butter schmelzen und abkühlen. Eier und Zucker in einer hitzebeständigen Schüssel in ein heißes Wasserbad stellen. Schlagen, bis eine cremige, hellgelbe Flüssigkeit entsteht. Vom Feuer nehmen und unter Rühren kühl werden lassen. Mehl und Kakaopulver dazugeben und die geschmolzene Butter und die Sahne einrühren.

In die vorbereitete Form füllen und im vorgeheizten Rohr bei 180°C etwa 30 Minuten backen.

Bis der Boden gebacken ist, den Belag vorbereiten. Butter in einem Topf schmelzen und Zucker, Mehl, Mandeln und Milch dazugeben. Unter Rühren 1 Minute erhitzen. Den Kuchenboden aus dem Rohr nehmen, den Belag darauf verteilen und die Form ins Rohr zurückschieben. Weitere 15 bis 20 Minuten backen, bis der Kuchen ganz fest ist und die Mandeln gebräunt sind. In der Backform etwas abkühlen lassen, dann auf ein Gitter legen. Auf einer Kuchenplatte servieren.
Zubereitungszeit: 45 bis 50 Minuten
Für 6 bis 8 Personen

# Maronenrolle

**Biskuitrolle:**
3 Eier
75 g Zucker
75 g Mehl
Puderzucker
**Füllung:**
250 g Kastanienpüree, gesüßt
6 EL Sahne, geschlagen
**Überzug:**
3 EL Aprikosenmarmelade
1 EL Wasser
175 g Schokolade, geschmolzen

Eine flache, rechteckige Kuchenform mit Pergamentpapier auslegen, daß ein 2,5 cm breiter Rand übersteht und mit Fett ausstreichen.

Eier und Zucker in einer tiefen hitzebeständigen Schüssel in ein heißes Wasserbad stellen und mit einem Schneebesen schlagen, bis die Eier cremig und hellgelb aussehen. Das Mehl noch einmal sieben und mit einem Metallöffel unterheben. Den Teig in die vorbereitete Form füllen und glattstreichen. Im vorgeheizten Rohr (190°C) 15 Minuten backen.

Ein großes Stück Pergamentpapier auf ein feuchtes Geschirrtuch legen und mit Puderzucker bestreuen. Den Kuchen auf das Papier stürzen und abkühlen lassen.

Das Kastanienpüree und die Sahne verrühren und auf den Kuchen streichen. Den Kuchen mit Hilfe des Tuches zusammenrollen.

Aprikosenmarmelade und Wasser in einem Topf erhitzen, durch ein Sieb passieren und auf die Rolle streichen. Mit der geschmolzenen Schokolade überziehen und fest werden lassen. Die Rolle auf eine Kuchenplatte legen und mit Puderzucker bestreuen. Noch am gleichen Tag frisch servieren. In dicke Scheiben schneiden und Sahne dazu reichen.
Zubereitungszeit: 20 Minuten
Für 6 bis 8 Personen

# Stichwort-register

Illustrationen von Susan Neale